LE CRIME ÉTAIT SIGNÉ

Lionel Olivier

Le crime était signé

Roman

Fayard

L'éditeur remercie Jacques Mazel pour sa contribution.

ISBN : 978-2-213-68700-1
© Librairie Arthème Fayard, 2015.
Dépot légal : novembre 2015

Le prix du Quai des Orfèvres a été décerné sur manuscrit anonyme par un jury présidé par Monsieur Christian SAINTE, Directeur de la Police judiciaire, au 36, quai des Orfèvres. Il est proclamé par le M. le Préfet de Police.

Novembre 2015

À la mémoire de Jacques Capela…

1

– Encore !

Trois fois qu'il répétait la même chose, depuis qu'il avait tenté d'alerter la mairie sur la présence de cette voiture tampon. Et rien n'avait bougé ! Et aujourd'hui, ils voulaient tous savoir, le maire d'abord, son employeur, puis les flics de Rosny-sous-Bois, et maintenant un certain Fergeac, commandant de police à la Brigade criminelle. Plus empressé que les autres, ce jeunot, avide du moindre détail et perfectionniste ! Les pires, à ses yeux, de l'espèce des insatisfaits chroniques.

Maintenant, le mal était fait et personne n'était encore jamais parvenu à ressusciter les morts.

Ancelot, le policier municipal, piétinait d'impatience devant l'entrée du cimetière, avenue des Champs-Galottes, en répondant aux questions de Quentin Fergeac. Ses doigts ne cessaient de triturer sa chevelure poivre et sel.

Une affaire pareille, à six mois de la retraite !

– J'étais venu m'assurer du bon respect de l'arrêté du maire, s'expliqua-t-il.

– Qui portait sur quoi ?

– S'agissait de libérer un emplacement pour les véhicules, en vue d'un enterrement.

– Et alors ?

– J'ai remarqué que l'un d'eux détonnait, là-bas, sous l'acacia, ajouta Ancelot, montrant une Ford du doigt.

– Vous pouvez préciser ?

– Presqu'à l'état d'épave, cette « ventouse » !

Des fientes sur le toit et le capot trahissaient en effet une immobilisation prolongée.

– Ouais ! J'avais compris. Pas besoin de me faire un dessin. Comment a-t-on découvert le corps ?

– Pas besoin non plus de me parler sur ce ton ! À cause de l'odeur qui provenait de cette voiture. Une putréfaction...

– Qu'est-ce que vous avez fait ?

– Les portières n'étaient pas fermées. J'ai jeté un coup d'œil à l'intérieur.

– Et... ?

– Il n'y avait rien. J'ai ouvert le coffre, j'ai trouvé la gamine et c'était pas beau à voir !

Le capitaine de police Fournier, brassard autour du bras, vint se planter devant Fergeac.

– Je cherche le directeur d'enquête.

– Tu l'as devant toi.

– On peut m'expliquer la raison de notre mise à l'écart ?

– Pourquoi être aussi susceptible ? Tu connais les règles !

– Justement ! Rosny-sous-Bois est de ma compétence territoriale, et l'affaire me revient !

– Vous n'avez toujours pas de piste évidente. Alors, tu vois ça avec le proc' de Bobigny ! Faut que je te rappelle les critères de saisine ?

– Pas de piste ? On n'a même pas eu le temps de chercher !

– Contente-toi de m'adresser au plus vite ton procès-verbal, coupa Fergeac que l'attitude vindicative de l'OPJ local commençait à énerver.

Il n'allait pas en plus s'occuper des états d'âme d'un collègue !

– Je me demande vraiment à quoi on sert, bougonna Fournier en tournant les talons.

Fergeac put alors s'imprégner de la scène de crime, calmement, avec méthode, avant de laisser la place aux membres de son groupe mobilisés sur les lieux au grand complet.

Clément Rieulay, le procédurier attitré, noircissait son bloc-notes d'informations. Ce mémoire lui serait utile lors de la rédaction de son PV de constatations. Les « ripeurs », les collègues les moins gradés du groupe, battaient déjà le pavé. À Émilie Férain, l'enquête de voisinage et le recueil de témoignages, à Michel Solau, la recherche des moyens vidéo, la localisation des caméras de rues, à Fred, enfin, la gestion des réquisitions téléphoniques pour les bornages.

Buteaux, Fontaine et Maligny, les trois techniciens de l'Identité judiciaire, procédaient au relevé des lieux, à la prise de photographies, à la recherche de traces et d'indices. Autant d'attributions propres à une équipe bien rodée.

Le commandant Fergeac s'adressa à son chef de section, le commissaire Louvel, un petit homme trapu aux épaules tombantes et au dos légèrement voûté, sans qu'on puisse savoir si le poids des responsabilités lui pesait plus que celui des années !

– J'ai une gamine âgée de quinze à seize ans à vue de nez, d'origine étrangère, découverte dans un coffre de voiture. Étranglée à l'aide d'un foulard toujours en place. Entièrement dénudée.

À l'évocation du mode opératoire, Louvel se raidit et une gêne sembla s'installer entre les deux hommes.

– Tu te sens capable de travailler sur cette affaire ? Je peux confier l'enquête à un autre groupe. Tu sais, je comprendrais très bien si...

– Pas de problème. Ça ira. Tu peux me faire confiance.

– Je n'en doute pas, mais je pensais à ton fils...

– Justement, c'est une bonne raison pour arrêter le salaud qui a fait ça.

Les deux hommes se tutoyaient. Une marque de confiance entre ceux qui devaient se serrer les coudes en permanence et partageaient les mêmes valeurs humaines, toujours disponibles.

– L'identité de la fille ?

– Rien pour l'instant. On a actionné la Brigade de répression de la délinquance contre la personne. Le groupe disparition étudie ses fichiers.

– Et le propriétaire de la voiture ?

– Identifié, milieu « homo » apparemment. Une équipe est partie sur place.

– Bon ! On fait le point ce soir, conclut le commissaire. Je vais rendre compte au procureur Mortange. Regarde-le ronger son frein comme si tu venais de commettre un crime de lèse-majesté. Tu sais bien qu'il ne souffre pas de passer au second plan.

Louvel esquissa un sourire complice tandis que Fergeac se rapprochait de Maligny.

– Alors ?

– Mort par asphyxie.

– J'avais deviné !

– On l'a étranglée avec un foulard serré par un tube de gloss.

Quentin fronça les sourcils.

– J'ai du mal à comprendre.

– Tu ne pouvais pas le voir avant qu'on bouge le corps.

– Pourquoi ce tube ?

– C'est simple. Tu le glisses entre le cou et le foulard, puis tu tournes comme ça...

Maligny vrilla son poignet.

– Tu veux dire que l'agresseur a effectué plusieurs tours comme s'il se servait d'une poignée de serrage ?

– Tu as tout compris.

– Mais alors, il a donc pu maîtriser le moment de la mort ?

– À ton avis ?

Les yeux de Fergeac se brouillèrent. Son visage se tendit sous l'effet d'un afflux de sang.

– Tu ne te sens pas bien ? s'enquit Maligny devant le trouble de son patron.

– Non, non. Continue ! Et pour le reste ?

– Tu veux savoir si on l'a violée ? C'est pas marqué « toubib », sur mon front. Mais je ne le crois pas, pour tout te dire. Tu verras ça à l'autopsie.

Fergeac acquiesça d'un signe de tête.

– Tu as une idée du moment de la mort, à défaut de l'heure précise ?

Les sourcils froncés, Maligny manifesta son embarras par une moue appuyée.

– Les lividités cadavériques sont toutes situées sur le côté, en raison de la position du corps sur le flanc, en chien de fusil. Elles ne disparaissent pas à la pression digitale ; j'ai vérifié. Et la fixation est totale et bien marquée au niveau de la coloration.

– Ce qui fait remonter la mort à… ?

– Plus de vingt-quatre heures. Ça, c'est une première constatation. Indiscutable.

– Et la deuxième ?

– La rigidité cadavérique a totalement disparu.

– Donc… ?

– Ça rallonge l'intervalle entre la mort et la découverte d'une durée comprise entre trente-six et soixante-douze heures. Vu l'état du corps, on peut penser que la mort remonte à plus de trois jours. Encore des questions ?

– Non, non !

– Nous sommes le 17 avril, calcula mentalement Fergeac, ce qui situerait le jour de l'agression au 14.

Se satisfaisant pour l'instant de ces éléments, il hocha la tête et remercia Maligny.

– Y'a peut-être pas marqué « toubib », mais tu ferais un bon légiste !

Fergeac s'attarda encore sur les lieux du crime. L'endroit était tranquille, la rue en impasse bordait le cimetière. Des pavillons individuels, des blocs d'immeubles de deux étages s'alignaient en parfaite harmonie. Leur sérénité n'était perturbée aujourd'hui que par le balayage des gyrophares.

Les spécialistes de l'I.J commençaient à remballer. Fontaine vint le rejoindre. Son visage glabre lui donnait un air juvénile. Il était pourtant proche de la retraite.

– On a effectué quelques prélèvements intéressants, dont un cheveu long trouvé sur le flanc de la fille.

– Et qui ne lui appartient pas ?

– Est-ce que je t'en aurais parlé, sinon ?

– Toujours aussi râleur, l'ami Fontaine ? Quoi d'autre ?

– Des traces papillaires.

– De plusieurs personnes ?

– Tu vas un peu vite en besogne ! Trouvées sur le rétroviseur intérieur, le pare-brise, les montants du coffre et sur le tube de gloss bien sûr. Cette affaire ne devrait pas te poser trop de problèmes. Je vais me coller tout de suite au rapport et je te le transmets.

– Merci, même si on doit toujours se méfier des conclusions hâtives !

En posant sa main sur l'épaule de Fergeac, Fontaine réclama tacitement son aide pour finir d'ôter la jambe de pantalon de sa combinaison de protection.

– Tu penses au jeu du foulard ?

Quentin haussa les épaules.

– Va savoir ! Le tube de gloss aurait pu simplement servir à contrôler la pression sur les jugulaires. Justement, comme dans ce jeu à la con. Si elle n'a même pas été violée, pourquoi le proc' nous a saisis de cette affaire ?

– C'est ce que te reprochait le capitaine, tout à l'heure ?

– Ce Fournier n'avait peut-être pas tort. Les policiers locaux pouvaient très bien se débrouiller seuls. Si le « 36 » doit s'occuper des cours d'école maintenant... !

Fergeac appela son procédurier. Le capitaine Rieulay en avait terminé lui aussi. Surnommé « Paluches » en raison de la grosseur de ses mains, il jouait de sa taille imposante pour intimider les suspects. *Entrez sans frapper, nous ferons le reste !* était punaisé à la porte de son bureau, comme une devise. Chacun pouvait l'interpréter à sa façon !

Michel Rieulay portait le bouc depuis toujours. À croire qu'il était né avec cette barbiche frisée qui lui mangeait le visage. Il était la bonté même ; la douceur se reflétait dans ses yeux bleus. Mais sa rigueur procédurale était implacable, son opiniâtreté presque maladive.

– Tu as pensé à faire enlever le véhicule ?

– Bien sûr, qu'est-ce que tu crois ? Les bleus vont rester en attendant le dépanneur.

– Alors, on rentre à la Grande Maison ! Tu prends le volant.

Le mètre quatre-vingt-dix de Paluches trouva difficilement sa place. Les genoux touchaient le volant, et la tête le plafonnier.

– Bon Dieu ! À quand des caisses plus grandes ?

Le centre-ville de Rosny-sous-Bois était encombré, comme à son habitude. La zone de compétence du « 36 » s'étendait jusqu'à cette commune du département de la Seine-Saint-Denis. Pas étonnant donc que le Parquet de Bobigny ait saisi la Crim' pour enquêter sur place.

– Tu veux qu'on rentre au gyro ?

– Non, laisse couler ! Rien ne presse tant qu'on n'a pas d'infos sur le propriétaire de la voiture..., répondit Fergeac, au moment où son adjoint, le capitaine Féraud, l'appelait au téléphone :

– On est devant le dom' du proprio, à Villemomble. Tout est fermé. Volets, bâtiments secondaires. La boîte aux lettres déborde de courriers. Tu veux qu'on tape une perquise ?

– Que disent les voisins ?

– Ils ne l'ont pas vu depuis au moins deux mois.

– On est en flag. Prends deux témoins et rentre à l'intérieur.

– Et si j'ai des difficultés pour trouver un serrurier ?

– Trouve une petite vitre déjà brisée sur l'arrière. Enfin, tu vois ce que je veux dire ? Tiens-moi au courant ! Nous, nous rentrons.

La découverte du corps de la gamine n'avait pas ébranlé Quentin outre mesure. Les drames faisaient partie de son quotidien. Son équilibre personnel s'en était accommodé jusqu'au jour où sa famille avait été touchée. Jusqu'au jour où son fils Yann les avait quittés tragiquement, sa femme Ellen et lui. Trop jeune pour mourir à douze ans ! Et l'homme sûr de lui qu'il était, fort de ses convictions et de ses certitudes, avait vu son monde s'effondrer, sapé à sa base… familiale.

À la Crim', son groupe l'avait aidé à surmonter l'épreuve, comprenant ses moments de doute, de déprime. Acceptant ses coups de gueule. Supportant. Se taisant.

Les mots du silence. Ceux qui écrasent. Ceux qui oppressent. Ceux qui rassurent aussi.

Un orage venait d'éclater quand ils garèrent leur véhicule devant le « 36 ».

– Putain de temps ! Et moi qui suis en chemisette, cria Paluches, en sortant de la voiture.

Sur la gauche de la cour, ils accédèrent au seuil patiné, illustré par la fameuse photo de Simenon allumant sa pipe devant la porte, avec toujours la sensation diffuse de pénétrer dans un endroit mythique. Ici, pas d'ascenseur, mais les 148 marches d'un escalier « juge de paix » de la forme du moment. Ces murs avaient dû être crème un jour, les plinthes étaient rayées, la peinture éclatée, le revêtement du sol si souvent foulé par la détresse comme par le courage. Les couloirs étroits obstrués d'armoires et de casiers métalliques, les gaines électriques mal suspendues aux plafonds… Des lieux chevillés aux corps, quotidiens et légendaires, navire bientôt abandonné à quai, sur son île de la Cité.

Quentin venait tout juste de remettre de l'ordre dans ses cheveux mouillés lorsqu'il fut rejoint par le deuxième de groupe, son adjoint direct, le capitaine Féraud. Des sourcils épais à la Pompidou, d'où son surnom.

– Je t'écoute, Pompon.

– L'oiseau n'était pas au nid, mais on a découvert ses œufs.

– Tu veux dire ?

– On est tombé sur un tas de photos pornos. Des enfilades entre mecs. Toujours les mêmes. Trois gars qui se filment à tour de rôle.

– Quel intérêt pour l'enquête ?

– On y reconnaît le proprio de la voiture.

– Et tu l'identifies comment ?

– Des documents retrouvés à son nom et avec son blaze.

– Qui est-ce ?

– Un nommé François Mallet.

– Connu ?

– Ouais ! Pour des histoires de fesses, justement. Je viens de le passer au fichier.

– Ça, c'est plutôt bon signe pour notre affaire.

– Il y a un autre individu, avec une tignasse jusqu'aux épaules. Et un troisième déguisé en tenue d'avocat. La plupart des clichés ont été pris dans la piaule. Par contre, là, tu vas tomber sur le cul. Tiens, regarde !

Fergeac tendit la main vers un paquet de photos retenues par un élastique, qu'il libéra aussitôt en les étalant sur son bureau. Des corps nus se livraient à de véritables bacchanales. « Cravates de notaire », sodomies, chevauchées fantastiques avec harnais et cravaches : un vrai rodéo. Ne manquait que le son d'un harmonica à la Morricone.

Le moment de surprise passé, Quentin fronça les sourcils et leva des yeux interrogateurs vers son adjoint qui l'observait, debout, les mains dans les poches.

– On voit bien la même chose ?

Féraud se contenta de hausser les épaules.

L'individu aux cheveux longs s'encadrait derrière le corps dénudé d'un homme penché en avant, dans une position qui ne laissait aucun doute sur la nature de l'acte en cours. Le pseudo-avocat, accroupi, se tenait fermement au mât d'une croix. D'autres croix se découpaient dans l'éclat du flash de ce cliché nocturne.

Ces malades baisaient dans un cimetière.

2

Solau et Émilie Férain, chargés de l'enquête de voisinage, se présentèrent au rapport. À leur mine déconfite, Quentin devina que leurs recherches n'avaient pas débouché. Émilie, la seule fille du groupe, se chargea du compte rendu.

– Je t'annonce tout de suite que ça n'a rien donné. Pour ce qui est de la voiture, tous les riverains sont d'accord pour dire qu'elle est garée là depuis pas mal de temps, sans bouger.

– Et pour le conducteur ?

– Ça ne dit rien à personne.

– Même pas un signalement ?

– Si je te le dis…

Fergeac émit un bruit de succion marquant son désappointement.

– Pompon a récupéré une photo du proprio, en perquise.

– Ça va. J'ai compris. Tu veux qu'on y retourne ?

– À ton avis ?

Solau, en retrait, pesta en soufflant bruyamment.

– Ils vont commencer à en avoir marre de voir notre tronche, là-bas !

– Vous en profiterez pour leur parler d'un chevelu. Jetez aussi un œil là-dessus, tous les deux, avança Fergeac, en faisant glisser les clichés. Ça vous donnera une idée du personnage.

Émilie Férain hoqueta de rire en découvrant certaines photographies. Solau fit écho à sa surprise.

– Quoi d'autre ? demanda Quentin.

– Tu l'as vu comme nous. C'est une zone pavillonnaire où les habitants sont particulièrement attentifs à ce qui se dit et se fait dans le quartier. Au point qu'il a fallu parfois faire le tri.

– Ils s'observent tous dans cette rue, renchérit Férain, un décor de « débine » sinon de délation. On en a entendu de toutes les couleurs, de la disparition de sous-vêtements féminins en train de sécher dehors, au type du quartier qui sort à vélo en short par tous les temps, de jour comme de nuit... Et je te fais grâce de la sourde et muette qui ne parle à personne, à l'allure de grand échalas, une folle qui fait peur aux gosses du quartier.

Quentin se mordit la lèvre.

– Qui ne parle à personne ! Une sourde et muette. Tu en as fini de tes conneries... ?

Bientôt, tu vas nous dire qu'on ne risque pas de l'entendre en témoignage ou de la croire sur parole ! Tu en as d'autres en magasin d'aussi débiles ?

– C'est dommage, reprit Émilie, elle ferait un bon témoin, car elle demeure juste dans l'axe de la Ford. D'après les voisins, elle reste en permanence collée à sa fenêtre, à regarder ce qui se passe dehors.

– Faut bien qu'elle s'occupe, dit Quentin. Il y a sûrement quelqu'un qui échange avec elle ?

– Je n'en sais rien.

– Tu lui as parlé ?

Férain éclata de rire.

– Tu es un petit rigolo, dis donc, toi aussi ! On a dit qu'on arrêtait ce genre de conneries !

Fergeac pouvait faire confiance à son équipe, jusque-là très efficace pour aller à la pêche aux infos.

– Retournez demain sur place. D'ici là, l'information aura filtré dans les médias.

– Ça va encore déclencher des vocations, s'inquiéta Solau en se grattant l'arrière du crâne.

– Eh bien, on fera le tri, répondit Quentin. Il faut mettre la main sur ce trio de pervers ; c'est pour l'instant notre seule piste.

– Où on en est à propos des personnes disparues ? demanda Émilie.

– Nulle part.

– C'est quand même bizarre, non ?

– On va étendre les recherches sur le plan national et on verra plus loin, s'il le faut. L'I.J n'a trouvé aucune correspondance pour les empreintes digitales, donc la fille n'était pas signalisée.

– Mais d'où vient donc cette gamine ?

Fergeac haussa les épaules.

– S'il s'agissait de ma gosse, je crois que je ne vivrais plus.

– Et si le « travesti » était réellement quelqu'un du barreau ? On pourrait peut-être déjà creuser de ce côté.

– Bonne idée, Émilie. Tu t'en occupes !

Étonnante, cette jeune femme aux cheveux courts, coiffée à la garçonne, aux joues pleines et au nez en trompette. L'avait-il vue une seule fois porter la jupe au service ? Comme si le fait de côtoyer un univers masculin l'obligeait à en adopter les codes ! À moins qu'il ne s'agisse plutôt pour elle de réfréner les instincts des mâles prompts à dégainer.

Quentin se tourna vers Féraud.

– Rapproche-toi de Maligny ou de Fontaine ! Fais le point sur leurs prélèvements et tiens-moi au courant ! Pour ma part, je vais aller m'enfiler un casse-dalle car je meurs de faim. Feriez bien d'en faire autant !

Près du Pont-Neuf, Quentin prit son tour dans la file devant une restauration rapide. Les mains dans les poches, alors qu'il tentait de s'intéresser aux visages proches, ses pensées le ramenaient invariablement à la vision de cette gamine recroquevillée dans un coffre de voiture. À quoi et à qui avait-elle pu penser en perdant progressivement son souffle ? Connaissait-elle son tortionnaire ? Où se situait la scène de crime primaire ? Le tueur n'avait pas transporté le cadavre avec la Ford. Il s'était contenté de l'y déposer. Le propriétaire du véhicule n'était peut-être pas impliqué ? Mais pourquoi ne le retrouvait-on pas ?

Dans la file, quelqu'un poussa Quentin doucement dans le dos. Il se retourna pour adresser un sourire d'excuses et poursuivit sa progression docile, fondu dans une humanité disciplinée, insouciante des prédateurs en liberté. Putain de métier !

À l'Institut médico-légal, le procédurier Rieulay et Fergeac, son chef de groupe, rejoignirent dans la salle de nécropsies la légiste Turpin et son aide de laboratoire. Buteaux et Maligny s'affairaient avec leurs appareils-photos et les kits de prélèvements. Quentin avait décidé pour une fois d'assister à l'autopsie. Le procureur Mortange l'avait aussi informé de la présence de l'un de ses substituts, pour manifester l'importance qu'ils attachaient à cette affaire.

Clément Rieulay et Céline Turpin, la doctoresse, se saluèrent comme de vieilles connaissances.

– Tiens, tiens, s'étonna Quentin après avoir remarqué le regard appuyé de la praticienne.

Décidément, la vie reprenait ses droits, même dans l'endroit le plus improbable et le plus étranger aux élans vitaux. Dans cet univers mortifiant, il avait dépassé depuis bien longtemps le stade de l'appréhension. Il ne comptait plus les autopsies auxquelles il avait assisté. Des cadavres de jeunes, de vieux, de noyés, de pendus. Des trucidés à l'arme blanche, aux balles de gros calibres. Des victimes à l'anus farci d'objets à ravir des antiquaires. Mais aussi des enfants...

Il n'oublierait jamais l'affaire des deux mômes de deux et quatre ans, abandonnés à leur sort par leur génitrice. Cette femme avait voulu tirer définitivement un trait sur son passé : un déni de mère, deux morts de faim. Revivre mentalement la procédure et le calvaire de ces enfants l'avait souvent empêché de dormir, dans son lit les yeux grand ouverts, les mains sous l'oreiller, contraint de compter les heures jusqu'au petit matin.

Ne plus tomber dans l'affect. Se contenter d'être un témoin objectif, un professionnel. À ce « régime », il pouvait le soir même d'une autopsie s'autoriser une tête de veau ou un bon gâteau de foies de volailles « Chez Denise », son exutoire de la rue des Prouvaires. Un restaurant où la vie s'invitait au milieu des éclats de voix, des bruits de couverts et des saveurs de ses petits plats. Un endroit où les serveurs vous appelaient par votre prénom, où les journalistes se frottaient aux flics, où le monde des artistes côtoyait celui de leur public. Ses recettes de convivialité renforçaient les liens au sein du groupe et le réconciliaient avec la vie.

Mais cette forme d'indifférence au drame était-elle normale ? N'y aurait-il donc jamais que des flics pour raconter aux autres flics leurs histoires de flics, que des flics pour les entendre et surtout les comprendre ?

Au cours de ces réflexions, Fergeac se demanda si le substitut du procureur était systématiquement toujours en retard.

Quand le « puni de service » finit par arriver, Quentin se présenta et une gêne perceptible s'installa, preuve de relations parfois tendues avec le Parquet.

– Michel, nous allons commencer, ordonna la légiste.

Le drap blanc qui recouvrait la dépouille se retrouva en boule dans les mains de son assistant. Quentin se rapprocha de la table et laissa son regard courir rapidement sur le corps de la jeune fille, celui qu'il n'avait que trop détaillé lors de sa découverte dans le coffre de la voiture.

Il n'attendait rien de bien nouveau des conclusions qui allaient découler de l'examen. Il était là en observateur. À son procédurier, le soin de prendre des notes. Aussi écouta-t-il d'une oreille distraite l'énumération des données corporelles sur l'estimation de l'âge, sur la taille, sur le poids, sur la présence ou non d'hématomes visibles à l'œil nu ou révélés par le test des crevés.

La victime présentait un sillon épais à la base du cou, incrusté profondément sous la glotte. Un sillon qui se prolongeait sous la nuque en un cercle fermé, parfaitement horizontal, excluant une mort par pendaison.

– Absence de fracture de l'os hyoïde, annonça Céline Turpin.

« Ce qui rejoint les conclusions de notre service d'Identité judiciaire, pensa discrètement Fergeac, même si ce diagnostic est à relativiser chez les mineurs en raison de leur structuration cartilagineuse. Mort par asphyxie et non par pendaison ».

Buteaux répondait à chacune des sollicitations de la légiste en prenant les clichés de traces ou de marques qu'elle jugeait pertinentes pour l'enquête.

Rieulay complétait ses notes de manière à étayer le procès-verbal d'assistance à autopsie qu'il rédigerait dès son retour au service. Maligny gérait ses scellés. Fergeac se contentait de garder les mains dans ses poches. Quant au substitut Cazevettes, il restait bien calé sous l'extracteur d'odeurs. Une erreur de débutant !

– On ne connaît toujours pas son identité ? questionna Céline Turpin.

– Non, répondit Quentin, pas encore. Mais il pourrait être utile de passer sa main et son poignet aux rayons X pour déterminer son âge...

Le magistrat décida de reprendre l'initiative.

– Je compte faire ouvrir une information et saisir...

Fergeac l'interrompit, manifestement agacé.

– Laissez-nous encore quelques jours ! Au moins le temps du flagrant délit. Nous sommes encore loin d'avoir épuisé toutes nos investigations.

– Que comptez-vous faire ?

– Auditionner nous-mêmes les trois individus qui ont tourné autour de cette voiture. Si vous saisissez maintenant un juge d'instruction, vous savez bien que cette possibilité nous échappera, et ce retard pénalisera l'ensemble de l'enquête.

– Je vous accorde vingt-quatre heures, pas une de plus !

Fergeac et Rieulay se consultèrent du regard. Le message était clair, ils n'allaient pas beaucoup dormir la nuit prochaine.

Après l'opération d'examen de corps, Céline Turpin fendit la peau de son scalpel, écarta les chairs d'où s'exhala l'émanation acide des entrailles mises à nu. L'odeur même de la mort.

Fergeac relâcha son attention. La légiste ne remarqua rien d'anormal. L'ouverture de la calotte crânienne confirma l'absence d'hématome sous-dural.

La dépouille appartenait désormais au prénommé Michel, l'aide de laboratoire. À lui le jeu de puzzle consistant à remettre en place les viscères, la protection costale, la voûte crânienne, à rabattre le cuir chevelu, à redonner au corps une enveloppe plus décente.

En rentrant chez lui, tard dans la soirée, Quentin passa devant « Le Wepler » de la place de Clichy. Ce restaurant lui rappelait des saveurs de vie quand il y dînait avec Ellen, sa femme... L'envie d'une simple soupe à l'oignon... Il hésita un instant à y pénétrer, puis il se ravisa. Ellen affectionnait cet endroit centenaire chargé d'histoire, fort d'un passé de peintres et de poètes qui l'avaient investi. Le privilège d'y côtoyer en pensée des Modigliani, des Miller, des Utrillo et des Apollinaire. Un trait d'union entre la bohême des années trente et un présent plus moderne.

Cette évocation le ramena près de vingt ans en arrière. Lui, jeune étudiant en vol pour la République dominicaine. Elle, hôtesse de l'air sur la compagnie KLM. Une situation confinée, propice à l'échange lors de la distribution des rafraîchissements. Des regards plus appuyés à chaque passage et le hasard d'une escale de transit au Mexique avant de reprendre les airs. Le charme avait immédiatement opéré. Une envie irrésistible de se revoir.

Puis, de ne plus se quitter.

Une période heureuse, émaillée de destinations lointaines, rendues possibles par les avantages professionnels d'Ellen. Des soirées chargées de souvenirs dans le quartier grouillant de la place de Clichy.

En remontant la rue Caulaincourt, Quentin surplomba le cimetière de Montmartre dont il apercevait les tombes en contrebas. L'endroit le ramena à son affaire. Bizarre, cette découverte d'un corps à proximité d'un lieu aussi désert. Et que penser de ce trio de profanateurs en mal de sensations fortes ? La perspective des croix figurant sur le fameux cliché avait peut-être inspiré Émilie à juste titre, après tout !

Le vent du soir sifflait au travers des croisillons de la rambarde métallique du pont. Des fleurs fanées roulaient dans les allées empierrées.

« N'oublie pas ce qui nous lie », semblait rappeler le cimetière à Quentin.

– Putain de vie ! pesta-t-il en shootant rageusement dans une canette métallique de bière.

Parvenu rue Le Tac, délaissant pour une fois la vitrine de la Librairie des Abbesses, il composa machinalement le code d'accès à son immeuble et pénétra dans le hall pavé. Après cette autopsie, n'allait-il pas se retrouver une fois de plus seul avec ses démons ? Adossé au mur du couloir, face à la porte de la chambre de son fils, les mains dans le dos, il ferma les yeux et laissa affluer des souvenirs incontrôlables.

Gyrophare actionné, le commissaire Louvel pilote le véhicule de service avec l'habileté d'un champion, slalomant, retardant au maximum le freinage, accélérant puissamment, à la limite de la perte d'adhérence. Le dos collé au siège, Quentin se cramponne au tableau de bord, ne pouvant empêcher sa jambe droite d'appuyer sur une pédale de frein imaginaire, chaque fois qu'un danger se présente.

– Où est Ellen ?

– Avec ton fils. Je te l'ai dit. Elle a prévenu les secours. Yann est entre de bonnes mains, à Bichat. Une chance d'avoir cet hôpital à proximité.

– C'est elle qui t'a appelé ? Pourquoi toi ?

– Elle préférait sans doute qu'un ami soit présent.

– Qu'est-ce qu'elle t'a dit exactement ?

Louvel ne répond pas tout de suite. Probablement se concentre-t-il sur sa conduite. Quentin perçoit cependant un trouble chez lui, l'espace d'un instant.

*Trop habitué professionnellement à ana-
lyser les silences des autres, la conscience
toujours en éveil quand il pose des questions
aux suspects, on ne peut le prendre en défaut
sur sa capacité à distinguer le faux du vrai.
Louvel lui cache quelque chose.*

– *Pourquoi tu ne réponds pas ?*

– *On en saura plus sur place.*

– *C'est quoi, cette histoire d'étouffement ?
Yann n'a jamais eu de problèmes pulmo-
naires. Mais bon sang, merde, tu vas me dire
ce qui s'est passé, à la fin !*

*Louvel garde un œil sur la route et parle
sans détourner son attention.*

– *Écoute ! Quand Ellen m'a appelé, elle
était affolée. Elle pleurait. J'avais du mal à
comprendre tout ce qu'elle racontait. Il y a
un détail que je ne peux pas te cacher. Yann
avait un fil de nylon autour du cou. Une
boucle fermée, nouée en torsade à l'aide d'un
stylo.*

*Une douleur fulgurante déchire la poitrine
de Quentin. Son cœur bat la chamade.*

– *Qu'est-ce que tu racontes ? Yann, étran-
glé ?*

– *Je n'ai pas dit ça. Et, d'ailleurs, je n'en
sais rien. Je n'ai pas plus de détails. Je sais
simplement qu'il avait un lien autour du
cou et que ça ne présentait pas les signes
d'une pendaison, ni d'une agression, à cause*

justement de ce stylo. Je vois mal ton gamin se laisser faire sans réagir. Je vais envoyer une équipe.

Quentin n'est plus en état de raisonner lucidement, méthodiquement. Ses réactions de père prennent le pas sur le professionnalisme froid et détaché qu'il aurait affiché, ailleurs, en de telles circonstances. Aucune pensée suicidaire n'a jamais traversé l'esprit de son fils. N'aurait-il pas été le premier à s'en douter ? Tout au moins à le deviner ?

Yann vit son adolescence sans heurts, sans crise apparente, sans la moindre manifestation de révolte contre ses parents ni contre la société.

C'est vrai qu'il ne lui consacre pas suffisamment de temps. Son travail lui mange ses soirées et parfois ses nuits, voire ses week-ends. Mais les moments passés ensemble sont d'une rare intensité.

La voix de Louvel le tire de ses réflexions angoissées.

– On arrive.

Le cœur de Quentin s'emballe de nouveau.

3

Fergeac pénétra dans le bureau de son procédurier sans frapper. Cette fonction lui conférait le privilège de l'occuper seul, au calme pour rassembler tous les actes d'une procédure, et pour en découvrir les failles éventuelles. Rieulay l'accueillit avec son plus beau sourire. Mais l'homme qui se trouvait assis en face de lui, détourna la tête à son entrée.

L'avocat représenté sur les photographies saisies au domicile de Mallet, affichait un air de chien battu. Devant lui s'étalait en éventail un lot de photographies.

Paluches anticipa la question.

– Émilie a fait du bon boulot. Elle avait vu juste. Je te présente maître Peyrefort. Ça ne s'invente pas !

– Tu déconnes !

– Mate sa pièce professionnelle. Je te dis que ça ne s'invente pas !

– Je vous en prie…, s'offusqua l'intéressé.

– Oh ! Tu ne vas pas jouer à la vierge effarouchée ! Garde tes réserves pour ton bâtonnier, cria Rieulay en tapant sur le revêtement de son bureau.

Peyrefort s'écrasa sur sa chaise en maugréant.

– Tu l'as placé sous quel régime ? demanda Fergeac.

– Pour l'instant, monsieur accepte de parler. Peut-être qu'on pourrait s'en tenir à une simple discussion informelle ?

– C'est à lui de voir jusqu'où il veut bien collaborer.

– Écoutez, vous comprendrez que dans ma position...

– À quelle position faites-vous référence, maître, l'interrompit le géant, à celle des photos ou à celle des prétoires ?

Outré, drapé dans une dignité de façade, Peyrefort, l'outragé, implora du regard Fergeac qui lui paraissait être de meilleure composition. Il était mûr pour s'étaler.

– Je suis prêt à répondre à toutes vos questions. Je vous en prie. Finissons-en ! Qu'attendez-vous de moi ?

Ça tombait mal. Les paupières encore gonflées par le manque de sommeil, Quentin pouvait très bien se contenter de laisser Paluches agir seul. Le terrain avait été bien préparé. Mais la tentation d'en découdre était forte. La « fiotte » était à point. Peu importait sa sexualité. Fergeac avait dépassé le stade des préjugés. Sauf que cette enflure de juriste confondait vie privée avec voie publique.

Quentin se saisit de plusieurs clichés explicites et vint se placer sur le côté de Peyrefort, pour contraindre l'avocat à bouger la tête en cas de feu croisé. Un jeu de ping-pong. Jamais bon, ce genre d'exercice !

– Qui est cette personne à qui vous tournez le dos ?

– C'est bien le mot juste pour décrire une sodomie ! s'esclaffa Rieulay.

Fergeac avait employé volontairement le vouvoiement. Une manière de redonner au mis en cause un semblant de dignité. Paluches l'avait suffisamment cassé.

– Un de mes clients.

– Vous voulez dire… ?

– Sur le plan professionnel, s'entend. J'ai été amené à le défendre autrefois dans une affaire d'attentat à la pudeur.

Rieulay intervint.

– Ne me dis pas que vous avez procédé tous les deux à une reconstitution ?

Peyrefort haussa les épaules et leva les yeux au plafond.

– Continuez ! reprit Quentin.

– Je passe sur les détails. Vous avez compris la suite.

– Où se trouve-t-il actuellement ?

– En maison d'arrêt, reconnut l'avocat en faisant la moue.

Les deux policiers échangèrent un bref regard. Tout risquait de s'effondrer.

– Depuis quand ?

– Il est en préventive depuis deux mois déjà.

Aïe ! Une porte se fermait. Mallet, le propriétaire de la Ford, était donc hors de cause.

– Et sur cette photo ? demanda Fergeac en montrant du doigt le chevelu. Qui est ce type ?

– Une connaissance de rencontre. On le surnomme l'Indien.

– Et il a un nom, Géronimo ?

– Je ne le connais que sous ce sobriquet.

– Et dans quelle réserve on le trouve ?

Maître Peyrefort tiqua et rechigna à répondre. Manque d'humour ou volonté délibérée de protéger son partenaire de débauche ?

– Je n'en ai pas la moindre idée !

Quentin adressa un signe de tête bien visible à Rieulay.

– Place monsieur en garde à vue puisqu'il a décidé de se payer notre tête !

– Non, attendez ! se réveilla l'avocat. Il y a peut-être un moyen de le retrouver.

– On vous écoute !

– Promettez-moi simplement de ne pas avancer mon nom. C'est un être violent, et je crains ses réactions s'il apprenait que je vous ai renseignés.

Pourquoi pas ? Les enquêteurs n'avaient pas l'habitude de communiquer leurs sources. Sauf pour en tirer profit, comme on compte les points. Quentin balaya la demande d'un revers de main et reposa sa question.

– Où peut-on le trouver ?

Peyrefort souffla. Sa jambe trémulait. Un tremblement qu'il ne semblait pouvoir maîtriser. Pour la seconde fois, la main de Rieulay s'écrasa violemment sur son bureau tandis qu'il extirpait son quintal de la chaise. Cette manifestation d'énergie convainquit l'avocat de « baver ».

– Il travaille comme agent de service dans un établissement scolaire.

La main du géant se rabattit une nouvelle fois, provoquant un désordre parmi les clichés étalés devant lui.

– Quel établissement ?

– Le collège Albert Camus.

Un nouveau claquement de main.

– À quel endroit ? Il faut t'arracher les réponses ? Tu commences sérieusement à me les briser menu !

– À Rosny-sous-Bois. En face du Fort.

Rieulay se rassit sur sa chaise, les mains cette fois bien à plat sur son bureau.

– Eh ben, voilà ! C'était si difficile ? Tu vois, quand on y met un peu de bonne volonté.

Quentin gambergeait. Enfin une piste sérieuse. Trop risqué de relâcher son client tant qu'ils ne s'étaient pas assurés de l'identité de l'autre individu. Il fixa son regard dans les yeux de Peyrefort.

– Vous craignez les réactions de l'Indien ?

– On voit que vous ne le connaissez pas.

– Il va se douter qu'il a été balancé, c'est sûr. Il n'est quand même pas idiot. Il y a un moyen de vous dédouaner : une mesure de garde à vue.

Peyrefort suffoqua.

– Mais vous m'aviez promis !

– Et alors ? On fera en sorte que Mallet vous dénonce tous les deux.

– Et comment comptez-vous y arriver ? s'inquiéta l'avocat, sceptique.

– Tu ne vas quand même pas nous apprendre notre boulot, dis ! répliqua Rieulay. Sûr qu'il va cracher quand il apprendra qu'un cadavre se trouvait dans le coffre de sa bagnole.

Peyrefort insista.

– Vous n'aviez pas parlé de garde à vue.

– Oui, je sais, acquiesça Fergeac, mais je vous le répète, c'est votre meilleure garantie, votre intérêt si l'on peut dire. Faites-nous confiance ! Mallet n'y verra que du feu. Dans deux heures, vous aurez quitté nos bureaux. Libre...

Fergeac partit rejoindre Louvel, son chef de section.

Le commissaire l'accueillit d'un franc sourire, avant de se reprendre :

– Tu as une sale tête, ce matin.

– Pas beaucoup dormi.

– Comment vas-tu ?

Quentin appréciait toujours les marques de sympathie de Louvel à son égard.

– Ça va. Ça va. Pas de soucis.

– Très bien. J'en suis heureux pour toi. Et l'affaire ?

– Justement. On décolle. On a mis la main sur un trio de tapettes.

– Le propriétaire de la voiture ?

– Lui et deux autres.

– Son profil ?

– Un nommé Mallet. Il était en taule au moment des faits.

– Ah, mince !

– On va quand même faire la vérif' et aller l'auditionner.

– Ça fermera déjà une porte. Et les deux autres ? Tu as parlé d'un trio.

– Je viens de placer un baveux en garde à vue, maître Peyrefort.

– Un nom prédestiné !

– Un type qui se faisait enfiler justement par ce détenu, mais aussi par un troisième loustic. Un mec avec des cheveux jusqu'à la huitième vertèbre. Tu te souviens du tif qu'on a retrouvé contre le flanc de la gamine ? Un cheveu long. La comparaison avec les siens risque d'être intéressante.

– Tu l'as serré ?

– Pas encore, mais on a un point de chute.

Le commissaire Louvel secoua la tête, satisfait de la tournure prise par les événements.

– J'appelle le Parquet et le bâtonnier.

– De mon côté, je vais me renseigner sur la situation du détenu. Il va me falloir un permis de communiquer. Ça va encore être le parcours du combattant pour trouver le juge d'instruction qui l'a placé en préventive. On va interpeller l'Indien. Le baveux m'a filé son adresse.

– Chez nous ?

– Ouais ! À Rosny.

– Alors, tout baigne.

Fergeac se rendit dans le troisième bureau où il savait trouver ses ripeurs à cette heure-là. L'équipe y refaisait le monde autour d'une tasse de café. Au rite manquait seulement la fumée des clopes désormais interdites.

– Deux gars avec moi pour interpeller un gus dans notre affaire !

Le claquement de trois mugs reposés à la hâte répondit à sa demande.

– OK ! Michel et toi, Fred.

Émilie Férain grogna pour la forme.

– Bande de machos !

Des flics, ces deux gars ? Une barbe de trois jours pour Michel Solau et des cheveux en bataille, un tee-shirt délavé, un jean aux couleurs passées et des baskets également usées. Fred, lui, portait de petites boucles d'oreilles et des lunettes cerclées de blanc, à la Lennon. Un pull à grosses mailles détendues lui donnait l'air d'un étudiant soixante-huitard. La trentaine pour les deux. Idéal pour se fondre dans la masse. De vrais clébards répondant au claquement de doigts de leur maître. Toujours prêts à bondir. Prêts à mordre !

Fred prit le volant, Quentin la place du passager avant, par habitude. Michel Solau étala ses longues jambes sur la banquette arrière. Un vrai luxe. Fergeac exposa les rebondissements de l'enquête. Une certaine effervescence gagnait l'équipe.

– Les pièces du puzzle se mettent en place, dit Fred. Une adolescente scolarisée. Un suspect, factotum dans un collège et porté sur le cul.

– Avec une orientation sexuelle marquée, tempéra Solau.

– On va bientôt être fixé, conclut Quentin.

Lennon tapotait le volant en conduisant, battant la mesure sur un air qu'il était seul à entendre.

– Dis donc, ça roule plutôt cool aujourd'hui.

– T'as oublié les vacances de Pâques ? On voit bien que tu n'as pas de gosses, lui répondit Michel Solau.

– J'avais complètement oublié ce détail, admit Quentin qui ne voulut pas relever que son « gosse » lui manquait pour d'autres raisons. Gare-toi là !

Rue Allemane, le parking extérieur du collège était vide. Solau détailla les bâtiments anciens qu'un architecte avait rénovés en leur donnant la forme d'un bateau.

– Trop heureux d'être sorti de ce monde de l'école.

– Et moi donc, soupira Lennon.

Quentin, amusé, les écoutait d'une oreille distraite. Pour sa part, des souvenirs mitigés. Des profs chahutés, souvent absents. Un bordel monstre ! Mais des copains, aujourd'hui perdus de vue, des filles aussi, bref, le sel de l'adolescence !

À la recherche des locaux administratifs, ils tombèrent sur un baraqué couleur café au lait, étonné de la présence des trois hommes dans la cour.

– Vous cherchez quelqu'un ?

Solau bourra les côtes de Lennon d'un coup de coude appuyé.

– Comment a-t-il deviné ?

– Et perspicace avec ça ! répondit Fred.

– Vous êtes de vrais potaches, les gars ! commenta Quentin à voix basse.

Sur un ton plus sérieux, il se présenta :

– Je suis le commandant de police Fergeac. Vous êtes monsieur… ?

– Tout le monde m'appelle Anselme. Je suis le concierge.

– Je souhaiterais rencontrer le responsable de l'établissement.

– Ce sont les vacances, pour le cas où vous l'auriez oublié. Pour le personnel comme pour les élèves.

Que faire ? L'affranchir et risquer une fuite de sa part auprès de son collègue ? Quentin s'interrogeait.

– Avez-vous la possibilité de le joindre téléphoniquement ?

Anselme émit un ricanement nerveux et le fixa, incrédule.

– On voit bien que vous ne le connaissez pas. Pour rien au monde, j'oserais le déranger sur ses skis. Ses vacances, c'est sacré !

– Vous êtes seul dans l'établissement ?

Son interlocuteur se renfrogna.

– Si vous me disiez plutôt ce que vous cherchez, au juste ?

– Bien ! On va donc procéder autrement. On m'a parlé d'un homme à tout faire, dans ce collège. Des cheveux jusque là.

Le concierge étouffa un soupir.

– Vous voulez parler de Minko. Vous tombez bien. Il est occupé à repeindre des salles de classe.

Le soulagement s'installa dans les têtes.

– Conduisez-nous à lui !

Rassuré, Anselme obtempéra. Tant que la police n'en voulait pas à sa propre personne… !

– Qu'est-ce qu'il a fait ?

– Oh, c'est juste pour une petite vérif'.

– Et vous avez besoin de venir à trois, pour ça ?

Le concierge commençait sérieusement à les agacer. La tension était palpable au sein du trio. Par chance pour Anselme, Clément Rieulay ne faisait pas partie du voyage, lui épargnant une confrontation entre géants.

– C'est là, dit-il en pointant le doigt en direction d'une salle. On y va !

Pas besoin de passer les consignes. Michel Solau partit contourner le bâtiment tandis que Fergeac et Fred pénétraient dans la pièce. Un individu en combinaison de peintre interrompit son geste et se raccrocha au montant supérieur de l'escabeau.

– C'est vous Minko ?

– Qui le demande ?

– Police judiciaire ! annonça Quentin. Juste une petite vérification. Il faudrait qu'on parle, tous les deux.

Une giclée de peinture accompagna la trajectoire du pinceau lancé à toute volée. Fergeac et Lennon se protégèrent du bras, instinctivement. Minko en profita pour sauter jusqu'à une fenêtre laissée ouverte, sans doute pour dissiper les vapeurs d'essence.

L'homme en salopette plongea la tête en avant à travers l'encadrement.

– Bouge pas !

Un cri de douleur répondit à la disparition du peintre. Quentin et Lennon se précipitèrent dehors en courant. Solau se tenait à califourchon sur le dos du fuyard, une main agrippant sa tignasse.

– Ben, alors ! Vous en avez mis du temps.

– Je savais qu'il n'irait pas loin, répliqua Quentin.

– Passe-lui les menottes !

– Et je fais comment ? s'amusa Fred. Tu lui écrases le bras.

– Et toi, arrête de remuer ! cria Quentin.

– Allez vous faire foutre !

Après cette invitation à aller goûter des plaisirs prétendument helléniques, la discussion s'engagea dans la voiture où l'étroitesse de l'habitacle se prêtait à plus de familiarité. L'entretien y prenait un ton plus informel, plus calme, parfois propice à débloquer la situation.

Quentin se retourna.

– Explique-moi ton attitude ! Pourquoi la fuite ?

L'Indien se renfrogna.

– Le poulet n'a jamais été mon plat favori.

– Tu nous avais reniflés ?

– Y'a que les amoureux et les flics pour aller par deux.

Fergeac saisit la balle au bond.

– À propos d'amoureux, c'est plutôt par trois que vous vous baladez, chez vous. Deux qui s'amusent et le troisième qui immortalise les souvenirs par une photo.

L'Indien lui jeta un regard mauvais.

– T'as compris qu'on avait déjà discuté avec ton petit copain en taule ?

– Je ne vois pas de qui vous parlez !

– Mallet. C'est lui qui nous a balancé ton blaze et celui de l'avocat. Moi, de vos histoires de fesses, je m'en tamponne le coquillard. Ce qui m'intéresse, c'est ce qui se passe dans ton bahut.

– Pas un peu vieux pour retourner à l'école ?

– Joue pas au con ! Tes orientations sexuelles sont un secret de Polichinelle. C'est quoi ton problème ? On se moque de toi ? Les jeunes sont parfois cruels avec leurs réflexions. Parle-moi de la gamine ! Elle t'a vexé ?

L'étonnement fit place à l'incompréhension. Minko ouvrait grand les yeux.

– Mais de quoi vous parlez ?

Fergeac décida de changer son angle d'attaque.

– Ton pote te laisse utiliser sa voiture, histoire d'en recharger la batterie, maintenant qu'il est au placard ?

– Je n'ai pas le permis.

– Tu serais bien le premier que ça dérangerait. Tu viens au boulot avec ?

– Pas besoin de caisse. J'habite Montreuil.

– Un peu étendue cette commune, dis-moi !

– Pas si vous habitez de l'autre côté de la rue, en face du Fort de Rosny. Y'a que le parc Montreau à traverser.

– Eh ben, tiens, on va aller voir ça.
Conduis-nous chez toi ! Au fait, tu es en
garde à vue depuis qu'on est allé te chercher. Tu as déjà plongé ?

– Non.

– On vérifiera. Tu vis seul ?

– Ouais !

– Alors personne ne va s'inquiéter de ne
pas te voir rentrer tout de suite. Donc, pas
besoin de passer de coup de fil !

Minko se contenta de hausser les épaules.

– Tu prends des médocs ? Tu n'as pas de
problèmes de santé ? Tu m'as l'air costaud.
Pas besoin de voir un toubib ? Pour ce qui
est de l'assistance d'un baveux, fais-moi
signe si tu en connais un. Sinon, on t'en
trouvera un d'office.

– Il y aurait bien ton autre pote, intervint Fred en riant, malheureusement lui
aussi est en garde à vue.

– Je te rappellerai tes droits par écrit
quand on rentrera au service, reprit Quentin. Ah ! Dernière chose. Ne me dis pas que
tu feras alors valoir ton droit au silence.
J'aurais du mal à oublier notre petite
conversation.

La sonnerie d'un portable interrompit
son énoncé de la procédure.

– J'écoute !

– C'est Fontaine. On m'a dit que tu étais sorti faire du saute-dessus.

– Exact. Un problème ?

– Non ! Juste une info qui pourrait te servir. La Ford était pleine de paluches. Celles du propriétaire, mais également celles d'un nommé Vlaminck. Jean-Bernard de son prénom, alias J.B.

Fergeac se retourna à nouveau.

– C'est toi qu'on appelle J.B ?

Une moue haineuse s'imprima sur le visage du gardé à vue.

– Décidément, vous avez le chic pour manger une partie des noms.

De petits groupes squattaient le hall de l'immeuble où Fergeac voulait se rendre. Pas évident pour une perquisition. Des jeunes, surtout des garçons, un monde de mâles avec ses chefs de meute, ses leaders et ses suiveurs, ses dominants et ses dominés. Une école avec sa pédagogie singulière de l'intimidation, de l'esbroufe, avec sa discipline et ses règles, ses codes et son honneur. Ses provocations, ses bousculades pour se tester, ses mains sur le cœur pour se saluer. Ses compétitions de scooters poussés au paroxysme et ses poursuites dangereuses pour tuer aussi le temps... Un melting-pot recueillant le désœuvrement du monde.

Fergeac décida d'attendre les renforts d'un équipage local pour assurer la tranquillité de l'opération.

Plus tard, une odeur forte et musquée lui agressa les narines lorsqu'il pénétra dans l'appartement. Quelques zombies aux pupilles éclatées occupaient l'unique pièce du studio, s'abrutissant aux paroles saccadées d'un rap syncopé. Affalés sur des matelas ou recroquevillés sur des poufs, ils ne manifestèrent aucune inquiétude à l'entrée des policiers. Tirer sur un pétard n'avait jamais tué personne. Les keufs avaient d'autres chats à fouetter...

Fergeac s'adressa à Vlaminck.

– Tu ne m'avais pas dit que tu vivais seul ?

La question ne sembla pas le surprendre.

– C'est juste du dépannage.

Quentin enjamba quelques fumeurs et débrancha le poste de radio, provoquant une vague de protestations. Il s'adressa à l'équipe de renfort en forçant la voix.

– Virez-moi ça en quatrième vitesse, et n'oubliez pas de récupérer toutes les traces de ce beau monde !

Les policiers d'assistance évacuèrent sur le palier toute la literie qui entravait la visite de l'équipe. Fred, Solau et Fergeac entreprirent une fouille méthodique, se répartissant les zones de recherches. L'appartement, chichement meublé, allait leur faciliter le travail.

– Ouvrez la fenêtre, les gars, qu'on respire un peu ! demanda Quentin.

Un air vicié chargé d'odeurs d'encens et d'eucalyptus empestait les lieux.

Partout le désordre. À la recherche du moindre indice, il fallait étaler les tee-shirts froissés empilés à même le sol... Une pièce d'identité, des vêtements de fille. L'inconnue de la Ford, la victime, avait été retrouvée nue.

Fred écarta des revues pornographiques masculines qui côtoyaient de la vaisselle sale sur une table en formica. Il regroupa divers documents et papiers administratifs pour les inventorier.

– Quelque chose d'intéressant ?

Lennon se retourna sur Quentin.

– Pas pour l'instant.

Michel Solau, expéditif, retournait sur le sol les tiroirs d'une commode : des slips, des paires de chaussettes, mais aussi des shiloms et quelques godemichés.

– T'as vu ?

Quentin esquissa un sourire.

Lennon s'extirpa d'un placard, un album entre les mains.

– Quentin, viens voir !

Il lui tendit un classeur volumineux en le maintenant ouvert.

Des photographies d'élèves !

Sur l'une d'elles, Fred tapota plusieurs fois de son index un visage féminin.

– Ça te fait penser à qui, à ton avis ?

– Bon Dieu ! Mais c'est notre gamine !

Un nom était écrit sous la photo, celui d'Açelya Bozkir.

4

La ruche était en effervescence. Fergeac avait distribué les tâches et chacun s'y collait sans rechigner. Émilie gérait l'appel à l'avocat pour l'assistance du gardé à vue, Rieulay tapait la perquisition, et Lennon se chargeait du procès-verbal d'interpellation.

Quentin rongeait son frein. Impossible d'entendre l'Indien sans la présence de son avocat. Le Code de procédure pénale fixait à deux heures le délai d'attente au-delà duquel il pourrait commencer l'audition par défaut. Suffisait alors de constater la carence du défenseur.

En attendant, Vlaminck irait au service de l'Identité judiciaire pour la phase de signalisation, comprenant la prise de vue, le relevé d'empreintes, l'énumération de signes distinctifs, les particularités physiques, les tatouages. Un prélèvement buccal pour terminer avec inscription au Fichier national automatisé des empreintes génétiques. Il aurait droit à la panoplie complète du gardé à vue.

À son bureau, Fergeac profita de ce délai pour compulser les trois classeurs trouvés chez l'Indien au cours de la perquisition.

Les albums portaient tous sur les classes de troisième. Le nom, le prénom et l'adresse de l'élève étaient inscrits sous chaque photographie. La jeune morte avait retrouvé son identité. Pourquoi la famille d'Açelya ne s'était-elle toujours pas manifestée ? Il aurait bientôt la réponse puisque le capitaine Féraud, son adjoint, était parti annoncer lui-même la triste nouvelle aux parents.

Un homme frappa à sa porte et se présenta :

– Maître Deneubourg. Je viens d'être commis d'office pour assister à l'audition de monsieur Vlaminck que vous auriez placé en garde à vue. Je souhaiterais d'abord pouvoir m'entretenir avec lui.

– Pas plus d'une demi-heure, lui rappela Fergeac.

Une pièce était réservée à cet effet pour respecter la confidentialité.

– Je vais vous faire conduire auprès de votre client.

– De quoi l'accuse-t-on ?

– Il est suspect dans une affaire d'homicide. Retrouvez-moi ensuite dans mon bureau.

Fergeac regagna l'étage en pestant. Il croisa Émilie dans le couloir.

– Tu en fais une tête !

– Fais chier ! À trop vouloir copier le système américain, la justice française nous fait perdre un temps fou.

– Tu n'as toujours pas digéré cette réforme ?

– Tu peux me dire pour quel bénéfice ? Les frais de justice atteignent maintenant une croissance dingue, alors qu'on manque de tout ici.

– Râleur !

– T'as vu nos bagnoles, notre mobilier...

– Faut faire avec.

– Crois-moi ! Cette réforme sert surtout les grands truands et les politiques. Que pèse un Vlaminck dans la balance ? Tu peux me le dire ?

– C'est vrai que ce genre de client intéresse peu les ténors du barreau.

– Je te laisse.

De retour dans son bureau, Quentin consulta la presse du jour en maugréant. Les journalistes relataient la découverte du corps de la jeune fille sans détails sur les circonstances d'une mort isolée. Au moins, un peu de tranquillité de ce côté !

Le premier échange dans la voiture n'avait rien donné. Géronimo s'était contenté de

« chiquer », ne racontant que ce qu'il voulait bien dire. La découverte du trombinoscope risquait de lui porter un sale coup. Pour peu que le cheveu trouvé dans la Ford lui appartienne, il serait fait aux pattes.

Impatient, Quentin appela l'Identité judiciaire.

– Avez-vous eu le temps de comparer les cheveux ?

– Bingo ! lui répondit Maligny. Reste à confirmer que « matche » leur ADN. C'est déjà parti au labo. Quant aux empreintes sur le tube de gloss, on n'a pas assez de points de comparaison.

Il reposa le combiné en se frottant les mains.

« À nous deux, mon gars. »

On lui ramena le suspect, suivi comme son ombre par son conseil.

– Asseyez-vous, maître Deneubourg ! Avez-vous des conclusions concernant la mesure de garde à vue, dont vous voudriez faire état ?

– Aucune.

– Bien ! Dans ce cas, commençons.

Fergeac ouvrit le logiciel de rédaction de procédure, le fameux LRPPN, qui allait l'aider à décortiquer la vie de l'intéressé.

– Bon, tu vas tout me raconter : ta scolarité, ta situation familiale, ton boulot, tes antécédents...

Quentin renseigna chacune des rubriques avant d'arriver à la phase plus intéressante de l'audition.

Jean-Bernard Vlaminck n'avait que quarante-deux ans. Il en paraissait pourtant dix de plus. Des études médiocres qu'aucun diplôme ne sanctionnait, à une époque où l'on donnait le bac à plus de 85 pour cent d'une même tranche d'âge ! Pas de femme. Pas d'enfant, et pour cause ! Jamais condamné, bizarrement !

En jubilant intérieurement, Quentin étala sur son bureau les photographies compromettantes. L'avocat Deneubourg s'avança sur sa chaise pour y jeter un œil, puis il se recala en adressant à Fergeac un regard chargé de stupéfaction.

– Tu vois ces gars sur les clichés ? Comment les as-tu connus ?

Vlaminck répondit d'un mouvement de tête suffisamment explicite.

– Je ne parlais pas de ça. Quels sont les liens que tu entretiens avec Mallet ?

– C'est un bon copain.

– Vous êtes souvent ensemble ?

– Puisque c'est un pote, je vous dis !

– À quoi passez-vous votre temps ?

– D'abord, je travaille, donc ça m'occupe toute la journée ! On se retrouve le soir, dans des bars. Et le week-end.

– Des balades en voiture ?

– Ouais ! Ça arrive. Le tour du périph.

– Avec des potes ? Des filles ?

L'Indien se gratta la tête, comme s'il voulait lisser les plumes de sa coiffe.

– Des mecs, bien sûr. Pour les filles, uniquement celles qui pensent comme nous.

– Tu veux dire des « gouines » ?

– Appelez-les comme vous voulez. Pour moi, c'est des copines. Point barre !

Fergeac ouvrit un des albums et l'avança sous le nez du gardé à vue.

– Qu'est-ce qu'ils faisaient chez toi ?

Vlaminck se contenta de lever les yeux, sans répondre.

– Regarde ces photos ! Indique-moi les filles que tu connais !

J.B. resta planté sur sa chaise, sans réaction.

– Je ne connais personne.

– Là, tu te moques de moi. Ce sont des élèves de l'établissement où tu travailles.

– Et vous croyez que je passe mon temps à les mater ? Y en a combien, à votre avis, dans ce bahut ? Et il faudrait que je connaisse tout le monde ?

– Tout le monde, peut-être pas, mais cette fille, par exemple.

Quentin posa le doigt près du visage de la jeune Turque.

Maître Deneubourg s'avança de nouveau, curieux. Vlaminck ne bougea pas un cil.

Fergeac haussa le ton.

– Cette gamine s'appelle Açelya Bozkir. Elle avait seize ans. J'ai bien dit *avait*, car on l'a retrouvée morte, assassinée, dans le coffre de la voiture de ton copain.

– C'est son problème. Pas le mien.

– Une voiture dont il ne pouvait plus se servir, puisqu'il est en taule depuis deux mois. Une voiture stationnée près du cimetière principal de Rosny. Ça te dit quelque chose, un cimetière ?

Vlaminck se contenta de hausser les épaules.

– Le genre d'endroit où vous allez vous enfiler sur les tombes tous les trois, ton copain, l'avocat et toi.

– Vous êtes malade, non !

– J'invente cette histoire ? Tiens, regarde ces photos ! Et ces classeurs qu'on retrouve chez toi. Comme par hasard !

Fergeac s'était levé. L'accumulation des arguments assénés crescendo provoqua chez Vlaminck, une vive réaction de colère et de rage. Un début de panique. Il se leva d'un bond, lui aussi, la tête en avant, prêt à en découdre, mais une paire de menottes lui entravait les poignets derrière le dos. En un instant, Quentin fut sur lui pour l'obliger à se rasseoir, mais il dut le maintenir fermement aux épaules, tellement l'autre se débattait.

– Je n'ai rien fait. Je ne sais pas de quoi vous parlez. Ce n'est pas moi qui ai tué cette fille.

– Alors qui ? Peyrefort, ton pote l'avo-cat ?

Les yeux exorbités, la salive aux commis-sures des lèvres, Vlaminck éructa.

– Ce n'est pas mon pote ! Et l'idée de faire ça dans les cimetières, vient de lui. Ce n'est pas la mienne. Je n'y suis pour rien. Je ne dirai plus rien.

Quentin soutint le regard circonspect de l'avocat.

– Des questions, maître Deneubourg ?

– Aucune. Juste une remarque. Mon client affirme qu'il n'est pas l'auteur de ce crime dont on l'accuse.

– Qui semble l'accuser, maître, qui semble l'accuser...

5

Le capitaine Féraud avait ramené le
père d'Açelya au service afin d'enregistrer
ses déclarations. Il l'installa dans le bureau
qu'il partageait avec Fergeac. Quentin avait
devant lui un homme abattu. Aucune
larme sur son visage fermé, les cheveux en
brosse très noirs, les pommettes saillantes,
le visage carré, Dogan Bozkir dégageait
une impression de force et de violence. Il
ne cessait de triturer ses mains aux doigts
épais, aux ongles courts.

– Parlons de votre fille, questionna
Quentin. Aviez-vous signalé sa disparition ?

Monsieur Bozkir secoua négativement la
tête.

– On la croyait chez son amie Jessica.
Açelya devait y passer deux semaines en
profitant des vacances.

– C'était déjà arrivé ?

– On avait confiance. Les deux filles se
rencontraient tous les week-ends, chez nous
ou chez Jessica. Elles étaient très proches.
Comme deux sœurs.

– Vous avez d'autres enfants ?

– Ses deux frères ont quitté la maison.

– Votre fille sortait le soir ?

– Mes enfants n'ont jamais traîné au pied des immeubles. J'avais trop peur qu'ils se trouvent embarqués dans de sales histoires. Pourquoi ces précautions, en fin de compte ? Elles n'ont pas empêché Açelya de mourir.

Féraud se racla la gorge. Il interrompit le silence qui venait de s'installer en reprenant l'audition à son compte.

– Vous avait-elle téléphoné pendant son absence ?

– Oui. Pour dire qu'elle était bien arrivée.

– Une seule fois ?

– Et puis deux jours après, pour me dire que tout allait bien.

– Quand est-elle partie de chez vous ?

Monsieur Bozkir compta mentalement. Ses doigts se dépliaient, raclant la paume de ses mains en supination dans un frottement rêche.

– Dix jours.

– Avait-elle un portable ?

– Comme tous les jeunes, maintenant.

– On n'a pas retrouvé l'appareil. Il faudra nous en communiquer le numéro. Avez-vous pris contact avec sa copine ?

– Non.

– Vous n'étiez donc pas inquiet ?

– Pourquoi, puisqu'elle était censée être chez Jessica ?

– Vous avez les coordonnées téléphoniques de son amie ?

– C'est ma femme qui les a. Moi j'ai simplement son adresse. Elle a tenté d'appeler sa mère lorsque vous êtes venus me chercher, mais sans résultat.

Coup d'œil d'inquiétude entre Féraud et Quentin.

– Donnez-nous déjà l'adresse de Jessica ! On va envoyer tout de suite une équipe.

Dogan Bozkir fouilla dans son portefeuille et déplia un bout de papier tout écorné.

– Tenez ! C'est à Montreuil.

Quentin tendit la main, puis lut l'adresse à haute voix en décryptant une écriture approximative. Il s'assura d'un regard auprès du père désorienté que ce qu'il avait lu était conforme au texte.

– Je file, dit-il à l'intention de Féraud. Direction quartier Branly-Boissière. Je te tiens au courant. Monsieur Bozkir, nous ferons tout pour trouver l'assassin de votre fille.

Fergeac récupéra Émilie au passage. Il comptait sur sa sensibilité, un atout pour sa visite aux parents de Jessica. Pendant qu'elle conduisait, la conversation porta sur l'affaire. Un doute insidieux s'était installé dans leur esprit plus enclin à imaginer d'abord le côté négatif des choses, à voir le mal partout comme on le leur reprochait parfois.

– Je crains le pire pour Jessica Graincourt, s'inquiéta Quentin.

– C'est sûr qu'elle aurait dû déclarer la disparition de sa copine.

– Et si elle ne l'a pas fait, c'est probablement qu'elle a subi le même sort.

– Tu ne crois pas à une simple fugue de la part d'Açelya ?

– Sans rien dire à sa copine ? T'y crois à ça ?

– Non. Il y a peu de chance.

– Je ne te cache pas que je préfèrerais cette solution, se rassura Quentin. On va bientôt être fixé. Il me semble qu'on arrive.

Des troncs d'arbres élagués dressaient leurs squelettes difformes de chaque côté de la rue. De petites bornes de béton gravillonné interdisaient tout stationnement. N'avaient droit de « cité », ce jour-là, que les poubelles et containers de tri sélectif, aux couvercles jaunes ou gris.

– Ça manque d'harmonie, remarqua Émilie. Des poteaux électriques anciens d'un côté, des lampadaires plus modernes de l'autre.

— Là, indiqua Fergeac, en désignant une maison de briques à la façade étroite.

Une Saxo gris métallisé stationnait dans la montée du garage. La boîte aux lettres affichait le nom des occupants. Ils étaient à la bonne adresse.

Une femme de forte corpulence leur ouvrit la porte. Pensant avoir affaire à des démarcheurs ou à des témoins de Jéhovah, madame Graincourt fit mine de la refermer. Fergeac la rassura d'un geste de la main en présentant sa carte professionnelle.

— Police judiciaire, pour un petit renseignement.

— Un renseignement ?

— Nous souhaiterions rencontrer votre fille.

Madame Graincourt blêmit, et un tremblement subit la secoua de la tête aux pieds.

— Laquelle ?

— Jessica ! La copine d'Açelya, une jeune Turque.

Angoissée, elle porta la main à sa bouche.

— Jessica ? Qu'est-ce qu'elles ont fait toutes les deux ? Ne me dites pas qu'on les a surprises en train de voler dans un magasin !

Quentin respira fortement, son pouls s'accélérait. Ça sentait pas bon, cette question de la mère.

– Parce qu'elle n'est pas chez vous, actuellement ? demanda Émilie, croyant deviner le pire.

– Mais non. Elle est partie chez sa copine, pour deux semaines.

Les deux policiers eurent vite compris. Le chassé-croisé des jeunes filles devait endormir la vigilance des parents. Leurs familles devenaient le dindon de ce qui risquait de ne plus être une farce mais une tragédie.

– On peut entrer ?

Madame Graincourt s'effaça dans le couloir. Quentin précéda Émilie jusqu'à un petit salon.

– Dites-nous depuis quand Jessica est partie chez Açelya ?

Des sanglots secouèrent la poitrine de la mère.

– Depuis le premier week-end des vacances.

Fergeac compta mentalement, mais il connaissait déjà la réponse. Cela faisait plus de dix jours.

– Où se trouve ma fille ?

Quentin mordilla sa lèvre.

– C'est là le problème. Nous l'ignorons. Nous savons seulement qu'elle n'est jamais allée chez Açelya.

Madame Graincourt croisa les doigts comme pour implorer le ciel.

– Et qu'est-ce qu'elle vous a dit, Açelya ?

Émilie Férain s'approcha.

– Mon collègue vous a répondu, nous ne savons pas où se trouve Jessica. Il n'y a peut-être pas de raison de s'inquiéter. Elle a déjà fugué ?

– Non ! Jamais.

– C'est courant, vous savez, surtout en période de vacances. Si c'est le cas, nous la retrouverons, soyez-en sûre.

– Mais Açelya doit bien savoir où elle est ? Elles n'ont aucun secret l'une pour l'autre.

L'instant crucial arrivait, inévitable mais ravageur.

– Açelya ne peut malheureusement plus nous aider. Elle est morte.

L'annonce assomma madame Graincourt qui s'effondra dans son fauteuil, sans connaissance. Quand Émilie revint de la cuisine avec un verre d'eau, la mère de Jessica semblait avoir recouvré partiellement ses esprits, même si une suffocation inquiétante persistait.

– Tenez, buvez ! Il s'agit d'Açelya, pas de votre fille.

Toutes ses forces l'avaient abandonnée. Quentin prit son temps. Le visage de madame Graincourt regagna des couleurs. Sa respiration retrouva un rythme plus régulier.

– Où est la chambre de votre fille ?

– À l'étage.

– Émilie, va y jeter un œil !

– Qu'espérez-vous trouver ?

– Un mot, une lettre explicative. Une ambiance. S'imprégner des lieux permet parfois de se faire une idée sur ceux qui les ont occupés.

– C'est en haut, la deuxième porte sur la gauche.

Émilie Férain quitta la pièce. Fergeac s'approcha du buffet.

– Je vais emporter une photographie de Jessica pour la diffuser. Vous souvenez-vous de sa tenue quand elle est partie ?

La question ébranla madame Graincourt. Elle écarquilla les yeux en faisant la moue, un doigt posé sur ses lèvres.

– Elle portait un jean, il me semble, et peut-être son pull mauve. Finalement, je ne sais plus. Il faudrait que je vérifie dans sa chambre.

Elle se leva lourdement. Quentin crut bon de devoir l'aider. Dans l'escalier, il l'entendait souffler derrière lui.

Au-dessus d'un meuble bureau, Émilie feuilletait un cahier d'écolier. Elle afficha une moue de satisfaction avant d'interroger délicatement la mère.

– Dites-moi, madame Graincourt, votre fille avait-elle un petit ami ?

– Je n'en sais rien. Elle n'a jamais ramené personne ici. Pourquoi me demandez-vous ça ?

– J'ai trouvé dans ce cahier, des poèmes qui pourraient laisser supposer un attachement amoureux.

– Montrez voir !

– Écoutez, je vais plutôt l'emporter pour le lire tranquillement. J'y trouverai peut-être des détails qui pourraient nous intéresser. Réfléchissez ! Quelles sont les habitudes de Jessica ? Fréquente-t-elle une maison de quartier ? A-t-elle un copain ou une copine dans votre rue ? On va prendre votre déclaration. Vous allez nous expliquer tout cela.

– Dites ! Vous allez me la retrouver, hein ! C'est plus important que de parler !

6

Pompon, Lennon et Paluches ne s'étaient pas fait prier pour accompagner Quentin dîner « Chez Denise ». La journée avait été longue, et les nombreuses investigations leur avaient fait sauter le moment du déjeuner. Qu'à cela ne tienne ! Ils allaient rattraper le temps perdu et refaire les niveaux. « La Tour de Montlhéry » était tout indiquée avec son ambiance et ses repas copieux pour reprendre des forces physiques et morales !

Quentin s'était retrouvé dans ce quartier des anciennes Halles, une vingtaine d'années plus tôt. L'étroite devanture du restaurant avait attiré son regard. Peut-être y avait-il vu un symbole ? Cette petite façade qui ne voulait pas mourir comprimée par les aménagements d'urbanisme, écrasée entre deux immeubles voisins plus hauts. Ses colombages vrillés, torturés, résistaient à la pression. Son énorme poutre-linteau semblait vouloir repousser des murs constricteurs.

Ou peut-être avait-il été intéressé par les posters d'artistes qui recouvraient les vitres de l'entrée ?

Il avait poussé tout naturellement la porte et s'était retrouvé dans un espace tout en longueur, près d'un comptoir sur lequel un énorme percolateur faisait la pige à une caisse enregistreuse remontant à la belle époque des Halles, celle où toutes les consommations n'étaient pas... enregistrées. La salle de restaurant, bruyante, était pleine à craquer.

– Il faut réserver, mon p'tit gars, si vous souhaitez manger ici, lui avait alors dit Denise, la patronne, de son ton gouailleur et charmeur, même s'il ne supportait pas de réplique.

– Dans ce cas, je me contenterai d'un coup de Brouilly au comptoir et des quelques rondelles de saucisson que j'aperçois dans cette petite assiette. Enfin, si vous voulez bien...

Denise avait ressenti une empathie spontanée pour ce jeune homme élancé, à l'allure sportive, qui bataillait sans arrêt avec une mèche rebelle. Un sourire coquin au coin des lèvres accentuait sa fossette. Ses yeux vifs et sombres vous fouillaient l'âme et le corps, et Denise s'y connaissait en « relations humaines ». Elle savait apprécier et évaluer les hommes, et reconnaissait vite son monde, enfin celui susceptible de s'accorder avec l'ambiance si singulière de son établissement.

– Nouveau dans le quartier ?

– Non. Naufragé volontaire qui a besoin de se rattacher à du solide, et ces vieilles pierres et ce chêne impressionnant me rappellent ma jeunesse. Tenez, comme ce saucisson qu'on avalerait jusqu'à plus faim.

– Monsieur est connaisseur, lui avait-elle répondu. Le produit vient d'Auvergne. Comme moi, il a du caractère et, par nature, il fait plaisir à ceux qui aiment les choses vraies.

– Sérieusement ? Alors, vous êtes une payse. Je suis originaire du Cantal.

– Pas vrai ! T'entends ça, Jack ? avait-elle dit en se retournant vers un homme doté de magnifiques moustaches. De quel coin ?

– Oh, un trou perdu. Tout juste sur la carte.

– Dis toujours !

– Soit ! Siran, vous connaissez ?

– Alors là, alors là... ! Ce pays, c'est le bonheur grandeur nature : ses horizons, ses produits, ses burons...

Quelqu'un l'avait alors appelée pour se rendre en cuisine.

– Reviens quand tu veux. Il y aura toujours de la place pour toi, même sans réservation.

Depuis, le restaurant était devenu sa cantine, il en avait adopté les règles, dont celle de toujours se faire annoncer auparavant. C'était le cas aujourd'hui.

Le quatuor pénétra dans la salle où les convives jouaient au coude à coude sur les banquettes de moleskine et sur les chaises cannées en vis-à-vis. Une table pour quatre les attendait, recouverte d'une nappe en papier illustrée d'un dessin de Moretti. Le visage du patron avec sa moustache généreuse y était croqué par d'habiles coups de crayons. Quentin se coinça dans l'angle, le dos contre le mur. Les peintures et les posters géants recouvrant les murs lui étaient familiers. Une gravure dénommée *Enfer mécanique* représentait en gros plan la calandre d'une voiture américaine. Toujours le même bolide devant ses yeux. Et pour cause. Il occupait invariablement la même place !

Lucien le serveur, rouflaquettes tirées au cordeau et la paire de lunettes fichée dans des cheveux bouclés, vint prendre les commandes.

– Alors, la poulaille, qu'ont choisi vos petits estomacs ? Qu'est-ce que vous voulez picorer ?

– Tête de veau ravigote pour moi, annonça Quentin.

– Onglet de bœuf grillé pour nous trois, résuma Rieulay après un bref coup d'œil à la cantonade. Et du Brouilly au tonneau.

Ce soir, les familles Bozkir et Graincourt ne s'inviteraient pas à leur table. L'équilibre psychique des policiers passait aussi par cette diversion gastronomique. Le drame de ces parents ne les toucherait pas à l'estomac !

7

Fergeac avait obtenu du Parquet une prolongation de la garde à vue de l'avocat Peyrefort. Les conclusions du Laboratoire de police scientifique concernant les traces ADN prélevées lors de la découverte du corps d'Açelya Bozkir, seraient bientôt connues, la comparaison avec le scalp de l'Indien, également.

Le capitaine Féraud s'était déplacé à la maison d'arrêt de Villepinte. L'établissement pénitentiaire relevait des compétences du Tribunal de grande instance de Bobigny. Il aperçut au loin une construction moderne, à l'écart des habitations, avec ses murs lisses de béton et ses miradors.

« À nous deux, Mallet ! »

Des détenus placés sous mandat de dépôt s'y morfondaient en attente de jugement. D'autres, en fin de peine, rongeaient leur frein et comptaient les jours qui les conduiraient à la quille.

Pompon se présenta au service du Greffe. Après vérification de son permis de communiquer, on l'orienta au rez-de-chaussée vers le parloir destiné aux avocats. Il finissait d'installer son ordinateur portable quand un surveillant pénitentiaire lui présenta son client.

Mallet prit place sur la chaise avant même que le policier l'ait invité à le faire. N'était-il pas chez lui, ici, dans ces murs ? Pompon détailla un court instant le détenu, habillé d'une chemisette découvrant des bras illustrés de tatouages les plus variés. Volutes, rayures, maillons, rosaces, brindilles se disputaient la surface de sa peau, censés refléter les états d'âme d'un moment. Plus figuratifs, une mygale et un cobra remontaient le long de son cou. Mais pour quelle signification ?

Les cheveux coupés en brosse donnaient à Mallet l'allure d'un légionnaire de brousse, d'une brute aux oreilles décollées.

– Salut ! Je suis du 36.

– Département de l'Indre. Chef-lieu, Châteauroux. Et vous venez de si loin pour me voir ?

– Ah ! Je vois qu'on aime l'humour. En tout cas, bravo pour ta mémoire des départements. Bon ! Si on arrêtait de jouer au con. Tu es en préventive pour une affaire de mœurs, n'est-ce pas ?

– Si vous le dites !

– C'est finalement ta chance.

– Ah ouais ? Et pourquoi donc ? C'est bien la première fois qu'un flic me dit que j'ai de la chance !

– Ça te disculpe dans une affaire de meurtre.

La curiosité s'afficha sur le visage de Mallet.

– De meurtre ?

– Tu es bien propriétaire d'une Ford Mondéo immatriculée… Attends que je vérifie le numéro.

– Arrêtez votre cinéma ! Vous êtes acheteur ?

– Dis-moi où elle se trouvait avant qu'on ne t'embarque ?

– Devant mon domicile. Pourquoi ? Elle est en fourrière ? Vous bossez pour le fisc ?

– Qui l'utilise aujourd'hui ?

– Regardez donc dans votre boule de cristal !

Le capitaine Féraud soupira. Difficile de soutenir une conversation avec ce genre d'individu. Il arqua ses mains et fit mine de contempler une sphère imaginaire.

– J'y vois un individu chevelu, les mains posées sur les hanches d'un mec qui te ressemble étrangement. On a l'impression qu'ils posent pour une séance de photos. Ah ! mais je devine aussi celui qui tient l'appareil. C'est bizarre, il porte une tunique avec une petite collerette blanche. Tiens, on dirait une robe d'avocat.

Décontenancé, le taulard fit craquer le dossier de sa chaise en étirant ses jambes, puis il posa les mains sur la table étroite qui servait de bureau.

– Bon ! Qu'est-ce que vous voulez au juste ?

– Qui se sert de ta voiture quand tu n'y es pas ?

Mallet hésitait. Il croisa les mains derrière sa tête comme si ce geste allait favoriser sa réflexion.

– J.B. l'utilise quelquefois.

– Tu veux dire Vlaminck ?

– Ouais, mais on l'appelle surtout J.B. C'est juste du dépannage.

– Et les clés ?

– En fait, il en a toujours un jeu avec lui.

Féraud acquiesça en esquissant un sourire.

– Juste du dépannage, comme tu dis.

Mallet se contenta de hausser les épaules.

– On a retrouvé ta voiture près du cimetière principal de Rosny-sous-Bois.

Déstabilisé, le détenu tiqua. L'information semblait le contrarier.

– T'as compris où je voulais en venir ? Pour tout te dire, on a découvert aussi tout un lot de photographies. Des croix, des tombes comme décor, et ta bobine au milieu.

François Mallet perdit de sa superbe.

– Ça, c'est une idée de l'avocat.

– Et le fait de retrouver une gamine morte dans le coffre de ton véhicule, c'est aussi une idée de Peyrefort ou une folie de J.B ?

Mallet s'effondra sur sa chaise, abasourdi. Féraud en profita pour enfoncer le clou.

– Minko dit comme toi. Ces idées morbides de déséquilibré viennent de l'avocat qui n'arriverait plus à jouir qu'à travers des mises en scène scabreuses. Comme se faire pointer dans un cimetière, par exemple. Ou comme se faire enfiler pendant qu'il étrangle une ado. Non ? Pourquoi pas, après tout. Comme on dit, tous les dégoûts sont dans la nature !

Mallet se tenait les tempes, horrifié.

– Mais qu'est-ce qu'ils ont fait ? Qu'est-ce qu'ils ont fait ?

– Cela ne t'étonnerait donc pas ?

– Cherchez ailleurs ! Ce n'est pas possible ! Pas J.B. Non, pas J.B.

Le capitaine Féraud appuya sur l'interrupteur relié à la rotonde. Il en avait terminé. Plus rien ne sortirait de cette audition. Surtout éviter la gamberge. Mallet n'avait rien

apporté de concret. Seulement des hypothèses. Et encore...

Pompon récupéra son arme de service à
l'accueil, ainsi que son téléphone, sa carte
professionnelle et le contenu de ses poches.
Dehors, il respira à pleins poumons l'air de
la liberté.

8

Jessica Graincourt sursauta. Quelqu'un venait de faire coulisser le verrou de la porte. Instinctivement, elle tenta de replier ses genoux sur son ventre. Un geste de défense illusoire dans la position où elle se trouvait. Sa couche humide lui renvoyait des relents d'urine. Un liquide visqueux et collant maculait son entrejambe. Son cycle menstruel débutait.

– Oh non ! gémit-elle.

Un mal de crâne terrifiant lui écrasait les yeux, lui explosait les tempes en sac-cades régulières. Elle ne pouvait soulager cette marée lancinante dans sa tête, avec ses poignets entravés aux montants du lit. Ses chevilles, également attachées, main-tenaient ses jambes écartées et exposaient son sexe dans une posture indécente.

Une obscurité prégnante baignait la pièce en permanence. Une pièce sans fenêtre ? Depuis son arrivée, jamais le moindre rai de lumière n'avait filtré de l'extérieur. Depuis quand en était-elle réduite à vivre dans cet endroit ?

Le claquement d'un second verrou lui arracha un petit cri d'angoisse. L'inconnu jouait avec ses nerfs. Pourquoi cette attente ? Elle n'avait jamais vu son visage toujours recouvert d'une cagoule. La lueur blanchâtre de sa lampe frontale l'aveuglait et l'obligeait à cligner des paupières. Difficile, dans ces conditions, d'appréhender un détail. Elle était toujours incapable de connaître le son de sa voix puisqu'il n'avait jamais prononcé le moindre mot.

Une clé farfouilla dans le barillet de la serrure. L'adolescente ne put réprimer ses sanglots. Les larmes creusaient leurs sillons salés le long de ses joues, et glissaient pour se perdre sous sa nuque lisse. Ce fou lui avait rasé le crâne.

Elle tourna la tête, devinant à l'origine du bruit la direction de la porte.

– Qui est là ? Mais dites quelque chose, merde ! cria-t-elle. Où est-ce que je suis ?

Le silence faisait écho à ses plaintes.

Quelqu'un était entré dans la pièce ? Ou était-ce une impression ?

Un hurlement lui déchira les poumons : une forme indéfinissable se promenait sur son ventre.

Elle perdit connaissance.

Le tortionnaire enroula un foulard de soie autour de son poignet et se pencha au-dessus du corps immobile, rapprochant son visage de celui de la jeune fille dont la respiration était faible, quasi inaudible. Mais ce détail le rassura. Elle allait mourir, certes, mais lorsqu'il l'aurait décidé, et à sa manière.

Il fronça les narines et éprouva un sentiment de dégoût. L'odeur âcre et poivrée de sang coagulé lui provoqua un haut-le-cœur.

« Plus très ragoûtant, ton corps, susurra-t-il entre ses dents. Je me demande ce qu'aurait pensé ta copine si elle t'avait vue dans cet état. Dommage pour elle. Et même pas l'espoir de vous retrouver au Paradis ! »

L'homme alluma un bref instant sa frontale, histoire de se repérer, puis il se dirigea vers la porte qu'il referma derrière lui. Une fois remonté à l'étage, il récupéra son portable et contacta un numéro favori. La voix de son interlocuteur déclencha en lui une bouffée de chaleur.

– Pourquoi tu m'appelles ?

– J'avais besoin de vérifier quelque chose. Où es-tu en ce moment ?

– À Biarritz. Au restaurant du casino. Une vue splendide face à l'océan, et un somptueux plateau de fruits de mer devant moi. Ce n'est pas ce qui avait été convenu ?

– Si. Je t'envie.

– Pas moi. As-tu réglé ton problème ?

– Bientôt.

– Tu es un malade !

– Je ne peux plus reculer.

– Et moi, je ne peux attendre très longtemps par ici.

– Je te ferai bientôt signe et après, tout sera terminé. Je te le promets.

– N'oublie pas ce qu'on a dit !

9

Michel Solau, le brigadier-chef, entra tout excité dans le bureau de Fergeac, agitant les feuillets qu'il venait d'imprimer.

– Je viens de recevoir quelques réponses aux réquisitions téléphoniques. Celui de la petite Bozkir a parlé. On a une triangulation rue Lolive, à Montreuil. Devine sur quoi on tombe ?

– Comment veux-tu que je le sache ? Allez, accouche !

– Un hôtel *Première Classe*.

Quentin roula des yeux, visiblement satisfait par l'information.

– OK. Tu m'accompagnes.

– J'aurais préféré que tu embarques Pompon.

– Impossible. Il n'est toujours pas rentré de Villepinte.

– Qu'est-ce que ça a donné ?

– Simplement que Géronimo utilisait la voiture de Mallet.

– C'est toujours ça de pris.

– Bon, alors tu viens ? Émilie est partie relancer la sourde-muette. Elle a une petite idée derrière la tête. Ne cherche pas Lennon, il visionne des bandes. Il y avait une caméra sur le devant du cimetière, mais pas sur le parking. Pas de chance !

Fergeac et Solau dégringolèrent les quatre étages pour se retrouver bientôt dans la Peugeot 307 affectée au groupe. Comme toujours, en chemin, ils ne purent s'empêcher d'élaborer des hypothèses, d'échafauder des stratégies. Quentin lisait un plan étalé sur ses genoux.

– Tu peux me dire à quoi il sert, le GPS ? demanda Solau.

– Quand une voix robotisée m'ordonne de faire demi-tour sur l'autoroute, permets-moi de me poser quelques questions. Alors, après l'avenue de Verdun, prends à droite puis à gauche rue Saint-Just, puis encore à droite. Tiens, c'est là-bas, juste en face de nous.

Peu de véhicules étaient garés sur le parking.

L'accorte réceptionniste suivit des yeux Quentin dont l'allure et la prestance tranchaient avec celles de Solau.

« Pas mal, ce type ! »

La chemise blanche, serrée près du corps, moulait biceps et pectoraux, lorsque Fergeac leva le bras pour tenter de discipliner une chevelure rebelle.

Sophie Fournier lui adressa un franc sourire auquel il répondit tout aussi naturellement.

– Que puis-je pour vous ?

– Bonjour, police judiciaire. Nous souhaiterions vous montrer quelques photos.

Quentin invita du geste l'employée à accorder un peu plus d'attention à son collègue. Solau lui présenta les photographies des deux adolescentes.

– Avez-vous vu ces jeunes filles dans votre établissement ?

– Celle-ci, dit-elle, en désignant le visage de Jessica Graincourt. Je ne me souviens pas de l'autre. Par contre, elle était accompagnée d'un jeune adulte. C'est lui qui a réglé la chambre pour une semaine.

Les deux policiers échangèrent un regard.

– Son mode de paiement ?

– En espèces. J'étais de service. C'est moi qui l'ai reçu.

Une moue de déception s'afficha sur leurs visages.

– À quand remonte leur visite ?

– Attendez que je vérifie. Cela fait maintenant plusieurs jours. Ah, voilà : c'était le 12 avril.

– Vous pourriez nous décrire celui qui a payé ?

L'hôtesse rassembla ses souvenirs quelques instants et porta sa main au menton. Sans doute pour favoriser la réflexion, elle mordilla sa lèvre inférieure.

– 1,75 m environ, mince, race noire, crâne rasé, lisse, des lèvres épaisses…

« Comme beaucoup de désœuvrés qu'on rencontre au pied des immeubles, pensa Quentin. Inutile de chercher l'origine du fric. Des biftons au goût d'eucalyptus ».

– C'est tout ce dont vous vous souvenez ?

– Ben oui ! Cela remonte déjà à quelques jours.

– Des signes particuliers ? Des bijoux, des bagues, des tatouages ? Un détail sur sa tenue vestimentaire ? rajouta Fergeac.

– En parlant de bijoux, je crois me souvenir qu'il avait une petite pierre brillante à chaque lobe d'oreille. Je ne peux pas vous en dire plus. Je suis désolée.

Quentin la rassura.

– Croyez-moi, c'est déjà beaucoup. On souhaiterait que vous nous conduisiez à ce qui était leur chambre.

– Ils ont commis des bêtises ?

– La gamine est mineure et ses parents s'inquiètent de sa disparition.

– Je prends le passe et je vous accompagne. C'est au premier, chambre 109.

La décoration de l'hôtel ressemblait à la décoration de tous les *Première Classe*. Comptoir à droite dès l'entrée, avec ses panneaux jaunes, salle du petit déj' avec ses tabourets surélevés, ses chaises et ses tables en plastique coloré.

La réceptionniste les précéda dans l'escalier. Le regard des deux hommes montait à hauteur de son fessier qu'une jupe étroite et courte moulait à la perfection, à damner un saint !

Après avoir ouvert la porte, Sophie Fournier s'effaça devant eux à l'intérieur de la chambre. Tout y était en ordre : un tissu pourpre aux rayures mauves recouvrait un lit pour deux personnes. Un autre, suspendu au-dessus, était également retendu. Quelques vêtements étaient accrochés aux cintres dans le coin penderie, près de l'échelle. Un sac était entrouvert par terre, un second près du lavabo.

Quentin se tourna vers l'employée tandis que Solau s'occupait de vider les sacs sur le lit pour en inventorier le contenu.

– La chambre est-elle encore occupée ? Je veux dire : y a-t-il toujours du passage ? Sinon, depuis quand les lieux ont-ils été abandonnés ?

– Je vais me renseigner auprès du service d'étage. Les filles n'ont pas encore terminé leur journée. Je reviens.

– Demandez-leur aussi de rester avec nous, la présence de témoins est nécessaire.

Parmi les vêtements éparpillés, une lingerie affriolante mais de qualité médiocre, était destinée à exciter le désir. Des strings en pagaille. Quelques éclats de shit pour compléter la panoplie.

Fergeac remarqua que les pantalons et tee-shirts n'étaient pas de la même taille. Il y avait donc eu deux personnes de sexe féminin.

– Je suppose qu'elles ont embarqué leur portable ? s'informa-t-il.

Michel Solau lui répondit par un grognement sourd.

– En revanche, elles ont laissé leurs documents.

– Montre un peu !

Quentin s'approcha du lit et se saisit d'une carte d'identité. Le visage d'Açelya lui souriait, plein d'insouciance. Il récupéra l'autre pièce que lui tendait Solau, et glissa les deux documents dans la poche de son pantalon.

La chambre n'était pas en désordre. Combien de temps les gamines y avaient-elles séjourné ?

– Appelle l'I.J ! ordonna Fergeac. Qu'ils nous passent la piaule au peigne fin ! Et fais venir aussi Paluches !

Quentin se trouva nez à nez avec le service d'étage qui le rejoignait dans la chambre.

– Je vous présente Aissatou, dit Sophie Fournier. Elle est chargée de ce secteur avec une de ses collègues, et elle se souvient très bien des jeunes filles.

Fergeac avisa une grande perche, sans doute d'origine sénégalaise, qui traînait les pieds à chacun de ses pas. Il commença à l'interroger :

– Bonjour. Que pouvez-vous me dire sur les occupantes de cette chambre ?

– Qu'elles ne sont pas très polies. Je ne suis pas entrée le premier jour, à cause de la pancarte *Ne pas déranger* accrochée à la poignée. Le deuxième jour non plus. Je les ai croisées dans le couloir au moment où elles sortaient. J'ai demandé pour changer les serviettes de toilette. Elles ont rigolé. Elles m'ont dit de m'occuper de mes affaires. « C'est justement mes affaires », que je leur ai répondu et je ne les ai plus jamais revues.

– Mais je viens de constater que le lit était refait et la chambre astiquée, répliqua Quentin.

– Le panneau n'y était plus le troisième jour, alors j'ai pu faire le ménage.

– Est-ce que le lit surélevé avait été occupé ?

– Non. Il n'avait pas été utilisé. Les deux filles avaient couché dans le grand lit.

– Ne pas oublier de saisir les draps, recommanda Fergeac. On y trouvera peut-être des traces biologiques. Ont-elles reçu des visites ?

La femme d'étage hocha la tête et entoura ses reins d'une main ferme.

– Jamais vu !

– Votre collègue m'a affirmé qu'un jeune à la peau noire avait accompagné une des filles lors de son installation, et qu'il avait réglé la chambre pour une semaine.

Aissatou se retourna vers Sophie Fournier. Son regard en disait long sur ce qu'elle devait penser, par solidarité…

– C'est tellement facile d'accuser, s'emporta-t-elle.

« Beau fessier », offusquée, allait intervenir quand Fergeac freina ses ardeurs en élevant la main, paume ouverte.

– Personne n'accuse personne. Merci de votre témoignage.

Quentin, Solau et Sophie redescendirent à l'accueil tandis que l'Africaine, traînant à nouveau des pieds, s'éloignait en maugréant de funestes incantations à l'intention du teint pâle de la réceptionniste.

Dans le hall, Quentin leva les yeux et montra du doigt une caméra fixée dans l'angle. L'objectif était braqué sur le comptoir.

– J'aurais besoin de visionner vos bandes.

– On les garde pendant un mois et, si tout se passe bien, elles réintègrent le circuit. Impossible de vous les remettre maintenant, mon manager est le seul à posséder les clés de l'armoire où elles sont stockées.

– Faites-le venir ! C'est urgent. Et pour les caméras placées dans les couloirs des chambres ?

– Il s'agit simplement d'un circuit interne.

– Dommage, se contenta de dire Quentin, au moment où Fontaine et Buteaux, ses collègues de l'Identité judiciaire pénétraient dans l'hôtel. Rieulay, qui les suivait, s'adressa à son chef de groupe.

– Je te remercie du cadeau. J'ai toute la procédure à revoir, les gardes à vue se terminent demain. Tu as compris qu'on se dirige tout droit vers un déférement au Parquet et présentation devant le juge. Ma nuit risque encore d'être courte. Merci les gars !

10

De retour au service, Michel Solau se plongea dans les réponses des Télécoms à ses réquisitions. Il étudia à nouveau tous les appels entrants et sortants d'interlocuteurs inconnus ayant transité par les téléphones de Jessica et d'Açelya. « Inconnus », mais bien identifiés. Peu de trafic, en réalité, sur les portables des filles. Parmi les SMS sentimentaux, *Maladie d'amour, maladie de la jeunesse*, il isola plusieurs appels, dont un échange entre la jeune Graincourt et un certain Badou Faye.

Il en référa à Fergeac.

– Je prends la moto et je pars en repérage. J'ai une adresse sur Montfermeil.

– Tiens-moi au courant !

À Montfermeil, l'avenue Jean-Jaurès accueillait une prière en extérieur. Des centaines de pratiquants bloquaient la rue, au coude à coude, flanc contre flanc et à genoux. Histoire de forcer la main des autorités municipales afin d'obtenir provisoirement l'accès d'un gymnase, parce que l'ancien lieu faisant office de mosquée était judiciairement voué à la destruction.

Impossible de passer. Des policiers lui interdirent l'accès au trottoir, malgré la présentation discrète de sa carte professionnelle. Trop de risques.

Après de multiples détours, le décor changea. Les barres d'immeubles avaient succédé aux petites zones pavillonnaires. La cité des Bosquets dans toute sa splendeur, où il repéra l'immeuble de Badou Faye derrière une rangée de containers-poubelles sur roulettes. Les graffiti habituels assuraient la police de la profonde sympathie que certains habitants du quartier lui témoignaient. Et plus si affinités, à en croire certains termes... !

Une rangée de cerisiers en fleurs. Des corps appuyés contre les troncs nus, comme des étais. Des groupuscules pour le comité d'accueil aux entrées des halls, liés entre eux par des critères communs, signes d'appartenance choisis et acceptés de tous : bombers, capuches, casquettes, doudounes luisantes sur le dos et baskets de marque aux pieds. Des regards vides, parfois haineux. Des regards sans animosité, aussi. Toujours des regards qui n'y croient plus, qui n'espèrent plus.

Plusieurs poings se dressèrent dans sa direction, majeur tendu, alors qu'il croisait un véhicule de la BAC. Ce geste de bienvenue lui était-il destiné ? À lui ou bien aux « kisdés » ?

Quel gâchis ! Qui donc avait jeté la première pierre ? Qui donc avait coupé les ponts, le premier ?

Michel Solau actionna la poignée des gaz et fit demi-tour. Estimant avoir mis assez de distance avec le quartier, il se porta à la hauteur du chauffeur de la voiture qu'il venait de croiser et lui présenta sa carte, à bout de bras. Le conducteur lui indiqua une direction. Ils roulèrent ainsi sur plusieurs centaines de mètres, puis la voiture se gara en épi au milieu d'autres véhicules.

Solau adressa un signe de la main aux trois hommes d'équipage.

– Salut ! Michel Solau, un collègue de la Crim'. J'étais venu en repérage parce qu'on a besoin de serrer un type dans le quartier.

– Et comment tu comptes t'y prendre ? lui répondit le chauffeur.

– Je préfèrerais ne pas avoir recours à l'artillerie lourde, si tu vois ce que je veux dire.

– Tout à fait d'accord avec toi, sauf si le jeu en vaut la chandelle. Tu bosses sur quoi ?

Le motard éluda la question.

– En fait, je suis plus dans la vérif', pour l'instant. Vous connaissez bien votre monde, par ici ?

– Depuis le temps qu'on les contrôle. Tu cherches qui ?

– Un nommé Badou Faye.

– On connaît ! Un Black ! Y aurait bien une solution plus cool.

– Dis toujours !

– Je te donne un autre point de chute sur Clichy-sous-Bois et tu le cueilles en douceur.

Fergeac, Lennon et Solau, ses deux ripeurs, tuaient le temps comme ils pouvaient. Déjà deux heures qu'ils planquaient. Ils avaient passé au fichier les immatriculations des véhicules rangés devant le stade de football. Sans succès. Aucun n'appartenait à l'Africain qu'ils étaient venus cueillir. Ils s'étaient donc rabattus sur le parc des deux-roues. Lennon y grillait clope sur clope. « Faye s'occupe de gamins », avaient dit les collègues de la brigade anti-criminalité. « À première vue, pas un mauvais bougre. Un peu de trafic, comme tout le monde. Faut bien vivre ! »

Fred, le chouffe, s'agita au loin. Quentin jeta un dernier coup d'œil sur les clichés pris au téléobjectif par les fonctionnaires de la BAC, puis il descendit de voiture avec Solau pour se diriger rapidement vers le parking intérieur.

Des paquets de mômes venaient dans leur direction, en gesticulant. L'entraînement sportif n'avait pas entamé leur enthousiasme ni même leur énergie. Les hommes se séparèrent. L'attente dura à peine quelques minutes. Un Black dégingandé les repéra aussitôt, mais la nasse se resserra sur lui en un instant. Le sac de sport tomba à ses pieds.

– Brigade criminelle ! Je veux juste que tu me parles de la piaule que tu as réglée au *Première classe* de Montreuil.

– Pas au courant. Je ne vois pas de quoi vous parlez. Lâchez-moi ou ça va mal se terminer !

Badou Faye commença à s'agiter et surtout à élever le ton. Des gosses s'étaient arrêtés de jouer et des adultes commençaient à s'approcher. Aidé par Lennon et Solau qui le maintenaient fermement, Fergeac referma les menottes sur les poignets de Faye.

– Vite, on s'arrache !

L'Africain se retrouva allongé sans ménagement sur la banquette arrière, Lennon le tenait plaqué, recouvrant sa tête avec le sac de sport qu'il avait pris soin de récupérer.

– Accélère !

La Peugeot joua des roues arrière, une portière encore ouverte. Solau martyrisait la mécanique tandis que Fergeac, passager avant, remettait un peu d'ordre dans sa tenue. Parvenu dans une zone moins exposée, le chauffeur finit par s'arrêter. Lennon permit ainsi à son passager de reprendre une forme plus décente et gagna un peu de place en balançant le sac dans le coffre. Fergeac descendit de voiture et s'éloigna de quelques mètres pour rendre compte à son chef de section de l'interpellation.

– Pas de vagues ? s'inquiéta Louvel.

– Tout s'est bien passé. On rentre.

La voiture reprit sa progression en direction des bouchons, à l'entrée de Paris. Ils allaient devoir jouer du deux-tons.

Quentin se retourna.

– Je sais que tu aurais préféré qu'on aille te chercher dans ta cité. Ça t'aurait plu de te faire mousser devant tes potes. Mais tu passes plutôt pour un mec cool, alors c'est peut-être mieux ainsi. Tu ne crois pas ?

– Continuez à me caresser dans le sens du poil, ça me fait bander, vous ne pouvez pas savoir à quel point !

Quentin lui adressa un petit sourire.

– D'accord ! Parlons cul, puisque tu sembles être un jouisseur. Tu as peur de passer pour un romantique auprès de tes copains ? C'est pour cette raison que tu as payé cette piaule ? Pour t'envoyer tranquillement en l'air avec Jessica ?

– C'est quoi ce délire ?

– Tu n'as pas répondu à ma question. Le fait de te taper une mineure te gênerait devant tes potes ?

Badou Faye renifla bruyamment.

– Décidément, vous avez de l'imagination, vous les keufs. Devriez écrire des polars. Ça vous rapporterait plus que votre paie minable.

– Et tu les tires d'où, toi, tes revenus ?

– Je vends du rêve. Ça me suffit.

Fergeac s'impatienta.

– Bon ! Assez déconné. Parle-moi de Jessica ! Tu ne profiterais quand même pas du « pain de fesses ». Ne me dis pas que tu joues les petits maquereaux ?

Faye tira sur ses bras, mais les menottes entravaient ses mouvements.

– Mais puisque je vous dis que je ne connais pas cette meuf. Vous me gonflez à la fin, avec elle !

Quentin soupira, fataliste.

– Si tu la joues comme ça, pas de problème. Considère-toi comme placé en garde à vue. On va présenter ta photo au personnel du *Première Classe*. Tu imagines bien qu'ils vont te reconnaître.

– Ça m'étonnerait ! J'n'y ai jamais mis les pieds.

– Ah ouais ? Pour ça, fais confiance au travail de mes collègues de l'Identité judiciaire. Tu ne t'imagines pas à quel point ils sont fortiches pour découvrir des traces de passage.

– Je vais devoir vous le dire combien de fois ? Je n'ai rien à voir avec ça. Je ne sais même pas qui est cette gonzesse.

– Alors pourquoi tu l'appelles sur son portable ?

– Demandez-lui si je me suis envoyé en l'air avec elle !

Quentin fixa son regard dans celui de son interlocuteur.

– Le problème, c'est qu'elle a disparu.

Le Black ne cilla pas et s'enferma dans un mutisme total.

11

Rieulay finissait de diriger la webcam sur le gardé à vue.

– Bouge pas !

Reliée à l'ordinateur et à un logiciel spécial, la caméra permettait de fixer l'image et d'enregistrer l'audition. L'avocat, maître Prince Diakaté, se tenait légèrement en retrait. Délibérément, Paluches souhaitait ainsi atténuer l'avantage de la présence du défenseur auprès de son client.

Quentin déclina sa fonction de chef de groupe à l'avocat, puis se plaça derrière Rieulay qui transcrirait et interviendrait éventuellement. Entre eux, l'exercice était bien rodé.

– Tu as tapé le PV de garde à vue ? demanda Fergeac.

– C'est fait.

– Bon, Badou, pour une fois, je vais avancer mes billes. Après, tu jugeras si tu veux continuer à te taire ou si tu préfères t'expliquer sur le rôle que tu as joué dans cette affaire. Le deal est clair : ou tu parles et on évalue ton degré de responsabilité, ou tu te tais et c'est direct au trou.

Badou Faye, menotté, maugréa en se tortillant sur sa chaise.

– Allez-y !

– Tu vois, pour une fois, on va inverser les rôles. C'est moi qui parle et c'est toi qui écoutes. On a procédé à une vérification, hier soir, auprès de la réceptionniste du *Première Classe*.

– J'y suis jamais allé. Je vous l'ai déjà dit.

– Elle avait déjà donné une bonne description de toi, mais quand elle t'a vu en photo, elle n'a plus hésité.

Faye vérifia la photographie et se contenta de hausser les épaules. Clément Rieulay extirpa le procès-verbal d'une procédure en attente sur son bureau, puis en lut un passage.

– Signalement de l'individu : 1,75 m, corpulence mince, race noire, crâne rasé, lèvres épaisses...

– J'en ai un autre, le coupa l'Africain. Individu de type asiatique, la peau lisse, les pommettes marquées, les yeux bridés... Il y en a plus d'un milliard avec cette tronche. Même chose pour nous. Alors votre soi-disant reconnaissance...

– Petites pierres brillantes aux lobes d'oreilles, continua Rieulay.

– Et alors ! se contenta de lui répondre Faye.

Fergeac reprit la main.

– Notre service d'Identité judiciaire a relevé la présence de tes empreintes dans la chambre.

– Ça m'étonnerait !

– Partout, je te dis. Sur la porte, à l'intérieur, sur un montant du lit suspendu. Pour une fois, on ne va pas se plaindre du ménage mal fait. Une preuve irréfutable de ta présence. Et on sait que tu as payé la note.

– Et pourquoi je n'aurais pas le droit de réserver une chambre ?

– Personne ne t'en empêche, effectivement. Tu es ici pour quarante-huit heures de garde à vue. Je vais demander une prolongation. Faut bien que je vérifie ton emploi du temps au complet. On verra bien si tu y es allé.

– C'est tout vu !

– Tu viens de faire un pas en avant, en reconnaissant que tu avais pris la chambre...

– J'ai dit ça, moi ?

– On dira ça comme ça ! On a la preuve que Jessica et toi avez échangé plusieurs fois au téléphone. Les Télécoms nous l'ont confirmé. Or, depuis le jour de la location, tu ne l'as plus rappelée.

– Et alors ?

– Comme tu étais avec elle en permanence, tu n'avais plus besoin de l'appeler.

– Vous avez vu un marabout ?

– Je veux savoir où elle a disparu.

– Et comment je le saurais ?

– Jessica a monté un plan avec une copine. Faire croire à ses vieux qu'elle allait passer une petite semaine chez elle pendant les vacances de Pâques. Mais les parents de sa copine n'ont jamais vu Jessica arriver chez eux.

– Et alors ?

– Alors, je me dis que c'était pour te retrouver.

– Du rêve !

– Comme par hasard, tu as réservé la piaule pour une semaine.

– Vous êtes carrément à côté de la plaque.

– Ah oui ? Au fait, la fille dont elle se servait comme alibi a été retrouvée assassinée.

Pour simuler aussi bien la surprise, Badou Faye avait dû suivre des cours de comédie ou de… tragédie ! Un véritable acteur. Un rôle de composition ?

– Oh ! et puis merde ! Marre des gouines !

Ce fut au tour de Fergeac et de Rieulay de s'étonner.

– Qu'est-ce que tu veux dire ?

– Je ne voulais pas mouiller ma petite sœur. C'est elle qui m'a proposé d'aider une de ses copines.

– Continue !

– Jessica fréquente le même bahut qu'elle. Les mecs ne l'intéressent pas. C'est tout le contraire. Elle voulait s'éclater avec sa meuf. Après tout, je m'en fous de leurs histoires de cœur et de fesses. Je ne voulais rien dire parce que je n'avais pas envie de passer pour une tante, dans le quartier. Il fallait trouver un adulte pour pouvoir retenir la chambre. C'est pour ça que je me suis présenté au *Première Classe*. J'ai payé en liquide. Pas besoin de vous dire pourquoi ! J'ai monté le sac de Jessica dans la piaule, puis je suis redescendu. Elle m'attendait dehors. Je lui ai filé la carte magnétique et le numéro de chambre, et puis je suis reparti en moto.

– Et après ?

– Je ne suis jamais revenu. Pas difficile de vérifier.

– Compte sur nous pour ça !

12

L'homme gardait son oreille collée contre la porte qu'il tardait à ouvrir. Depuis combien de temps se tenait-il ainsi, sans remuer le moindre muscle jusqu'à ce qu'un picotement désagréable l'incite à bouger ? Sa décision était prise, longtemps réfléchie. L'une de ses mains tripotait nerveusement une cagoule, tandis que l'autre jouait avec un couteau.

Il actionna plusieurs fois la poignée, provoquant de légers grincements. Des pleurs étouffés lui parvinrent de l'intérieur. Un sourire sadique anima ses pommettes.

« Tout doux, ma belle, tout doux », susurra-t-il.

Les verrous coulissèrent. Les pleurs redoublèrent, cette fois plus violents. La clé tourna dans la serrure, et l'inconnu pénétra dans la pièce en prenant soin de refermer aussitôt la porte derrière lui. L'obscurité totale était son alliée.

Comme le tortionnaire s'approchait du lit, bras en avant, une odeur pestilentielle l'obligea à reculer. Il entendit le corps s'agiter. Une voix rageuse déchira les ténèbres.

– Mais vous êtes qui, bordel ? Espèce de cinglé.

Un doigt en travers de la bouche de Jessica lui écrasa le menton et le nez. Un doigt tendu qui lui intimait de se taire.

À nouveau le silence, et toujours l'obscurité profonde. La toile de la couche collait au dos de Jessica, et des croûtes de sang séché se craquelaient entre ses jambes nues.

Nus ses membres. Nu son corps. À quel moment lui avait-on ôté ses vêtements ? Pourquoi ? Sans doute avait-elle été droguée ? Et cette faim qui la tenaillait, qui lui tordait le ventre. On ne lui accordait qu'un peu d'eau, un goutte à goutte lancinant. Pourquoi lui imposer ces privations ? Dans quelles mains était-elle donc tombée ?

Pourquoi son geôlier ne s'exprimait-il pas ? Un jeu morbide auquel il prenait un plaisir sadique ?

Sourd à ses prières. Muet à ses questions.

Jessica hurla. La tête aussitôt enserrée dans une sorte de sac en toile, ses cris s'étouffèrent tandis qu'on lui nouait quelque chose autour du cou. Elle allait bientôt manquer d'air. L'homme avait décidé de la faire mourir alors qu'elle voulait vivre. Et de toutes ses forces, trop jeune pour crever.

Elle ne renoncerait pas. Le salaud n'avait pas encore gagné la partie. Elle trouverait bien un moyen de s'en sortir.

L'individu avait relâché le serrage. Pourquoi ? Un clac résonna ! Le bruit sec d'un cran d'arrêt ?

Le corps de Jessica se vrilla sous l'effet de la tension, et les languettes crantées en plastique qui lui maintenaient les poings et les pieds, s'enfoncèrent un peu plus dans ses chairs.

Elle hurla de nouveau, mais ses cris restaient assourdis.

Son poignet droit opéra un mouvement instinctif de défense. L'acier d'une lame s'insinuait entre sa peau et la ligature. Son bras put se déplier et fouetter l'air. Son lien venait de céder. Tout au moins, venait-on de le couper, le désolidarisant du montant du lit. Presqu'aussitôt, un autre bracelet cranté reprit possession de son avant-bras.

Une main lui enserra le poignet et le dirigea vers l'autre bras autour duquel l'inconnu attacha cette nouvelle ligature. Pour la seconde fois, la lame du couteau glissa sous le premier lien, libérant le membre. Ses deux bras purent s'agiter dans le vide, maintenus attachés, prisonniers entre eux. Instinctivement, ses mains rejoignirent son entrejambe.

Jessica Graincourt s'aida de son coude, puis de ses poings serrés pour s'asseoir sur le lit. Ses reins lui brûlaient le bas du dos, des pointes lancinantes irradiaient ses épaules. Son corps n'était plus que douleur, à vif.

Une forte poussée la rejeta en arrière. On lui libérait les chevilles. Elle bascula sur le côté, en position fœtale. L'inconnu avait allumé sa lampe frontale au moment de lui couper les liens, dirigeant son faisceau lumineux sur l'arrière des cuisses, s'attardant sur les hanches avant de remonter le long de la colonne vertébrale.

Une main prit le cou de Jessica pour l'aider à se redresser puis à se mettre debout. La jeune fille perdit aussitôt l'équilibre et retomba lourdement en arrière sur le lit. L'absence de nourriture avait eu raison de sa force physique.

L'inconnu l'attira à lui et la contraignit à s'asseoir de nouveau. Les doigts de Jessica frôlèrent un vêtement sans pouvoir en déterminer la nature. Avait-elle perdu tous ses repères ainsi isolée dans le noir ?

Quelques instants plus tard, la main l'aida une nouvelle fois à se relever sans qu'elle perde l'équilibre. Poussée dans le dos, les bras tendus, elle avançait en aveugle, comme un insecte faisant vibrer ses antennes.

Un bruit de clé dans une serrure et un air différent à respirer lui confirmèrent qu'elle venait de quitter la pièce. Ses pieds encore maladroits à cause de l'immobilité forcée, hésitaient sur un sol différent. Était-ce du carrelage ?

On ne la retenait donc pas prisonnière dans une grange ou une remise. Ni en pleine forêt, dans un cabanon. Elle se trouvait dans une maison. Dans un sous-sol, puisqu'on lui faisait maintenant grimper des marches.

Un pavillon pouvait laisser espérer la présence d'un voisinage. Et donc de curieux, possibles témoins pour remarquer un détail anormal, un changement de comportement chez un voisin. Mais pour l'instant, pas le moindre signe d'une vie extérieure, ni vrombissement de moteur, ni klaxon, ni cris d'enfants, peut-être étouffés par cette sorte de cagoule.

Où la conduisait-on ? Le mutisme du sadique n'avait encore jamais été pris en défaut.

La main l'arrêta. Une porte venait de s'ouvrir. Les gonds avaient grincé. On la poussa de nouveau. L'oreille aux aguets, Jessica posa doucement les pieds sur un sol glacé. L'inconnu se contentait simplement de l'orienter d'une pression de la main. À nouveau des escaliers. Cette fois, on montait à l'étage. Son coude, à gauche, heurta le mur. Quelque chose de rêche. De la feutrine ? Sur sa droite, ses mains cognèrent contre une main courante qui renvoya un écho métallique. Et ces marches, sous ses pieds ? Quelque chose de lisse, de glissant. Du plexiglas ou peut-être du verre ? Des marches en verre ? Un décor moderne ? Un intérieur de riches ?

Puis une ambiance différente, comme une atmosphère humide. Son tibia heurta une surface lisse, et la douleur lui arracha une plainte. On lui prenait le mollet afin de lui faire lever la jambe. Elle faillit basculer en arrière et son dos s'aplatit contre un torse. Ou plutôt contre une épaule, car une main vint s'opposer au contact. Sa jambe retomba dans un liquide brûlant, puis on la poussa pour la maintenir assise dans une baignoire.

Prise de panique, Jessica se débattit en hurlant.

Une main lui enserra le cou tandis qu'une autre plongeait pour lui maintenir les jambes sous l'eau.

13

Fergeac quitta le palais de justice de Bobigny muni de la commission rogatoire du juge d'instruction Bonnevey. Le Parquet avait ouvert une information contre X du chef d'enlèvement et d'assassinat. Le juge des libertés et de la détention ne s'était pas opposé aux réquisitions du procureur de la République, et un mandat de dépôt avait été délivré à l'encontre d'Antoine Peyrefort et de Jean-Bernard Vlaminck, même si le cas de l'avocat avait soulevé quelques réticences du côté du barreau. Sa participation aux faits concernant la voiture n'apparaissait pas clairement établie.

Quentin ruminait sa déception. Déférer un suspect dans ces conditions le laissait sur sa faim. Certes, son chef de section avait bien tenté le « coup de la moquette » espérant obtenir des aveux là où le groupe avait échoué. Mais le commissaire Louvel avait rejoint le rang des déçus. L'Indien s'était enferré dans ses dénégations, buté sur ses premières positions.

L'un de ses cheveux trouvé dans le coffre, contre le corps de la jeune Turque ? Où était le problème, puisqu'il utilisait la voiture occasionnellement ?

Pareil pour ses empreintes papillaires disséminées dans l'habitacle, sur le rétroviseur intérieur !

Le véhicule retrouvé près d'un cimetière où il s'adonnait à des pratiques sado-maso, précisément là où Émilie Férain avait repéré l'endroit au milieu des tombes ? Pur hasard qu'un corps ait pu y être déposé !

L'accusation ne saurait durablement se contenter d'indices aussi ténus pour établir réellement la culpabilité des deux pervers. Il fallait trouver autre chose et mieux. L'interpellation de Badou Faye tombait à pic.

Fergeac retrouva son équipe réunie autour d'une tasse de café. La conversation portait naturellement sur l'affaire en cours.

Émilie Férain avait opté ce matin pour un pantalon jean délavé par ses soins. Un petit cahier d'écolier dans les mains, elle s'adressa à son chef de groupe :

– Quentin, j'ai relu plusieurs fois, en long, en large et en travers, le journal intime de Jessica au point d'en avoir mal au crâne. Elle ne risque pas de gagner le premier prix de poésie. Mais ses vers sont suffisamment explicites pour deviner que la personne à qui ils s'adressent a tout de la nymphette. Eh oui, messieurs, désolé pour votre ego, mais votre virilité ne fait plus recette exclusive.

– Ce n'est jamais que du tripotage entre filles, conclut Lennon. Faut bien commencer un jour. On est tous passés par là.

Tous les visages se portèrent dans sa direction. Des regards étonnés. Des yeux rieurs.

– Ah bon ! Parce que toi aussi…?

– Arrêtez vos conneries ! Ce n'est pas ce que je voulais dire. Vous me voyez, vous, avec un mec ?

– Fais pas ta chochotte. Tout le monde sait que tu as commencé tes études au séminaire, répliqua Émilie. Et d'ailleurs, ça te va très bien, avec tes lunettes à la Lennon. Ça te donne un petit air angélique.

– Tu ferais bien de te tenir à l'écart de mon goupillon.

– Goupillon : « instrument liturgique qui sert pour l'aspersion d'eau bénite », récita Solau en lisant la définition sur son téléphone portable.

– Oh ! Ça suffit. Ça risque de devenir graveleux, conclut Émilie. Il suffit que tu en sois sorti, non ?

– Mais c'est qu'elle en remet une couche, rajouta Fred, en ponctuant sa remarque d'un franc sourire, histoire de prouver qu'il adhérait lui aussi à la blague.

Il se tourna vers Quentin pour couper court à la discussion.

– J'ai visionné les bandes du *Première Classe*. C'est bien Faye qui a réglé la chambre. On le voit effectivement payer en espèces.

– Et les caméras extérieures qui donnent sur les parkings ?

– Elles le montrent en compagnie de Jessica.

– Et Açelya ?

– On ne la voit pas.

– Difficile donc d'en déduire qu'elle était réellement présente à ce moment-là.

– À mon avis, elle a rejoint Jessica plus tard, parce qu'on voit la petite Graincourt arriver en moto comme passagère de Faye. Et Faye repartir seul.

– Et sur les journées suivantes ?

– On voit les filles passer devant l'accueil pendant les deux premiers jours. Ensuite plus rien.

– Et pour ce qui est de l'Africain ?

– Il n'apparaît plus.

Fergeac acquiesça.

– Ça confirmerait donc ce qu'il nous disait hier soir. On a retrouvé un peu d'argent qui appartenait aux gamines, dans leur sac. Il a bien fallu qu'elles mangent quelque part. Un Buffalo ou quelque chose comme ça. T'as compris où je voulais en venir ? Tu retourneras voir dans le coin. Bon ! J'ai rencontré le juge d'instruction, ce matin. Va falloir jouer serré.

– Pourquoi ? questionna Rieulay.

– Il exige qu'on se rende chez Faye.

La perquisition posait problème. Pas l'opération en elle-même, mais plutôt son contexte. Intervenir dans certaines cités n'était jamais chose facile. La police engageait parfois un bras de fer avec sa hiérarchie judiciaire pour se dispenser de ce genre d'opération. Mais Fergeac savait que, dans le cas présent, la perquisition devenait incontournable. Il avait obtenu de différer l'appel du gardé à vue à un membre de sa famille. Le Code de procédure pénale autorisait cet avis et son report éventuel. Mais cette contrepartie contraignait Quentin à la réaliser dans les plus brefs délais.

Il fit extraire Badou Faye de sa cellule.

– Je ne te demande pas si tu as bien dormi, je connais déjà la réponse.

– Alors, pourquoi vous fatiguer ?

– Je vais te dire une chose. Je crois à ta version des faits.

– C'est quoi l'embrouille ?

– Y'a pas de « blème ». Je pense que l'histoire s'est effectivement déroulée comme tu me l'as racontée. On a procédé à des vérifications et tout concorde avec tes déclarations. Jessica souhaitait vivre quelques jours en toute intimité avec sa copine. Malheureusement, les choses ne se sont pas passées comme elles l'avaient prévu. Qui d'autre pouvait être au courant de leur petite escapade ?

– Faudrait voir avec ma petite sœur, mais je n'ai pas envie de la mêler à ça.

– Justement, il faudra bien pourtant, rétorqua Fergeac. Ce serait intéressant de savoir si elle en a parlé autour d'elle.

– Ça risque de la traumatiser.

– Non mais tu ne te ficherais pas un peu de moi ?

– Elle n'a jamais eu affaire aux keufs.

– Écoute ! Tu sais bien qu'il va falloir qu'on aille chez toi pour vérifier si Jessica s'y trouve.

Faye se fendit d'un franc sourire en se tapant sur la cuisse.

– Je vous souhaite bien du plaisir.

– Pourquoi ?

– Ma parole ! Vous êtes un bleu ou quoi ? Vous croyez que vous allez pouvoir débarquer comme ça chez moi ? Tranquille ?

L'Africain claqua des doigts.

– Ben, figure-toi que pour une fois, j'avais envie de la faire cool.

– N'importe quoi !

– Je ne t'ai pas dit tout à l'heure que je croyais à ta version ? Je ne reviens pas là-dessus. On va aller chez toi.

– Toujours pas compris ?

– Tu auras les mains dans les poches. Pas de menottes. L'honneur sera sauf. À moins que tu tiennes à tout prix à te faire passer pour ce que tu n'es pas, c'est-à-dire un délinquant. Tu vois, Badou, un type qui donne de son temps pour encadrer des gamins comme tu le fais, ne peut pas être franchement mauvais. Moi, je crois à ce genre de valeurs. Et toi ?

Ça secouait sec dans la tête de l'Africain. Il gardait les épaules voûtées et mordillait ses lèvres. Quand il leva les yeux, l'horizon venait de s'éclaircir.

– Topez là ! N'y aura pas de lézard. Parole de Badou !

Le claquement d'une tape dans la main scella le pacte entre les deux hommes.

14

Retour à Montfermeil. La météo était leur alliée. Des giboulées prétendues « de mars » cinglaient le toit des deux véhicules de service qui venaient de se ranger près de la ligne de poubelles. Un vent violent et glacial courbait les branches des cerisiers en fleurs au tronc malingre. Des groupes de jeunes avaient effectué un repli stratégique dans les entrées d'immeubles, capuches et casquettes toujours enfoncées sur le crâne. Craignaient-ils aussi des infiltrations d'eau jusque dans les halls ? Il est vrai que les portes n'avaient plus de vitres depuis longtemps.

Des sifflements retentirent. Le comité d'accueil faisait bien son travail. Fergeac se retourna vers Faye, le gardé à vue, coincé sur la banquette arrière entre Paluches et Solau.

– J'ai toujours ta parole ?

– Toujours.

– Alors, on y va.

Les squatters virent plusieurs hommes quitter rapidement les voitures en se protégeant maladroitement de la pluie. Que faisait donc Badou au milieu des flics ? Ses deux mains écrasaient sa casquette sur son crâne. Pas de menottes pour les entraver. Bizarre !

Un mur de corps humains se dressa devant eux en une ligne compacte, lorsqu'ils tentèrent de pénétrer dans le hall.

– Cool, mecs ! leur cria l'Africain. On vient ici en promenade. J'ai donné ma parole. Ces keufs sont réglos.

– Qu'est-ce que tu me dis là, mon frère ? scanda l'un de ses congénères avec un accent qui fleurait bon sa banlieue. Peut-être les prémices d'un nouveau standard de rap.

– Fais passer le message ! lui intima Faye. On vient en touristes et j'ai promis de servir de guide. Faut que ça se passe bien avec eux.

– Toi, tu deales peut-être avec les Schmitts maintenant, mais nous est-ce qu'on leur a donné notre parole ?

– Je ne te demande pas de le faire, mais c'est tout comme. Ces gars m'ont respecté. Je veux faire la même chose à leur égard. Je serai de retour dans la journée. Ils ont promis.

Ses copains mirent un peu de mauvaise volonté pour s'écarter et les laisser passer. L'honneur était sauf. Ils n'entraient dans leur monde qu'avec leur bénédiction.

Fergeac avait gardé le silence pendant toute la discussion. Il s'en était volontairement exclu, préférant laisser Faye manœuvrer seul. Une position payante puisque l'Africain avait remporté la manche. Collé à son flanc, Quentin lui adressa un sourire reconnaissant tandis qu'ils grimpaient rapidement les escaliers. Une odeur tenace d'humidité les accompagnait. Ils croisèrent des regards inquiets jusqu'au cinquième étage, mais Faye les rassurait d'un geste de la main, d'un signe de tête ou d'une moue complice.

Dans l'appartement, par contraste, une odeur agréable de plat cuisiné vint leur flatter les narines. Déjà aux fourneaux malgré l'heure matinale, une femme en boubou passa la tête par la porte entrebâillée de sa cuisine. Un visage aux traits doux. Madame Faye avisa son fils.

— Tu étais où ?

— Chez les keufs !

Inquiète, elle se mit à geindre en portant les mains à son visage. Ses yeux brillaient.

— Mais qu'est-ce que tu as fait ?

Cette fois, Fergeac reprit la direction des opérations.

— Rassurez-vous ! C'est une simple vérification. La preuve, votre fils n'est pas menotté. Juste une petite discussion entre lui et moi. J'ai besoin de me rendre compte si Jessica Graincourt, une copine de votre fille, se trouve ou non chez vous. Rien qu'un coup d'œil !

Quentin se tourna vers le gardé à vue.

– Tu peux m'appeler ta sœur ?

Une jeune fille s'encadra dans la porte du couloir. Comme par hasard ! Des joues rondes, des seins ronds, des fesses rondes et les cheveux tressés harmonieusement, agrémentés de perles de couleur noires et blanches. Fergeac en était à ce point de son portrait quand elle s'esquiva.

– Viens là ! cria son frère. N'aie pas peur, Issate. J'ai dû leur raconter l'histoire de ta copine Jessica. Elle a disparu.

Issate Faye revint sur ses pas pour lancer à son frère un regard à la fois mauvais et inquiet.

– Elle a disparu, je te dis. Ils viennent voir si tu l'as revue. C'est tout.

La sœur secoua la tête négativement.

– On va quand même vérifier. Vous permettez, madame ?

Fergeac fit un signe de tête à l'adresse de Solau.

– Accompagne madame Faye dans les pièces !

Pendant ce temps, Rieulay enregistrait mentalement les lieux pour le procès-verbal de perquisition qu'il devrait établir. Quentin attira une chaise à lui, y prit place et suggéra d'un signe à Issate de faire de même.

Un peu risqué, et même déconseillé de prendre son temps dans ce quartier.

— Dis-moi ! Jessica t'a parlé de sa copine Açelya, je suppose. Tu sais qu'elles voulaient profiter des vacances de Pâques pour se retrouver seules toutes les deux quelques jours. Sans que leurs parents le sachent.

La jeune Africaine haussa simplement les épaules, mais ce geste valait réponse. Il reprit :

— As-tu raconté ce projet à quelqu'un de ton entourage ?

Issate ouvrit grand les yeux, comme indignée.

— Ça va pas, non ?

— Calme-toi ! C'était juste une question. Est-ce que quelqu'un tournait autour d'une des filles ? Tu comprends ce que je veux dire ?

Elle haussa les épaules à nouveau.

— Je ne suis pas débile !

Michel Solau revint dans la cuisine en secouant la tête.

— Rien vu ! Il n'y a personne d'autre !

Fergeac quitta sa chaise et appuya son front contre la vitre. Cinq étages plus bas, dans la rue, des groupes d'individus bravaient les intempéries et commençaient à tourner autour de leurs véhicules. Il était temps de mettre les voiles. Il s'adressa à la mère :

– On va se rendre avec Badou au commissariat de votre quartier. Venez nous y rejoindre avec Issate ! On va enregistrer là-bas sa déposition. C'est mieux comme ça, non ? Ça évitera à vos voisins de penser qu'on vous embarque. À tout de suite.

– C'est la faute de son prof de SVT, lâcha alors Issate, en détournant son regard.

– Pourquoi ? Il lui faisait du rentre-dedans ?

– Demandez à la classe ! Mais moi, je vous préviens, je ne vous ai rien dit et je ne signerai rien.

– En tout cas, on vous attend toutes les deux, ta mère et toi.

La descente des marches s'effectua avec un peu plus de tension que la montée précédente. Les paliers s'étaient repeuplés. Un « *Cool, mecs* ! » de la part de Faye suffisait à écarter les rangs. L'énervement monta d'un cran au moment de l'embarquement, mais là encore, le pire fut évité.

Quentin Fergeac venait de gagner son pari.

15

Émilie Férain sourit à la femme qui venait de lui ouvrir sa porte.

– Bonjour. Je suis de la police, annonça-t-elle en présentant sa carte professionnelle. Je voulais vous rencontrer. J'ai besoin de votre aide dans une enquête criminelle qui nous pose quelques problèmes.

– Moi ?

Pauline Mosnier écarquilla les yeux et recentra son attention sur la carte barrée dans un coin de trois bandes tricolores. Puis elle releva la tête et détailla l'intruse. Une jeune femme au physique avenant, une coupe à la garçonne, au corps bien proportionné. Un critère de sélection dans l'actuelle police ?

– Vous aider dans une enquête crimi-nelle, dites-vous ? Mais en quoi puis-je vous être utile ?

– J'avais lu, il y a quelque temps, un article fort intéressant écrit par vous et intitulé *Des signes pour raconter l'histoire*. Sur une des photos, une dame croisait les doigts d'une certaine manière. Le texte traitait du langage des signes.

Les traits de son interlocutrice se détendirent et un léger sourire s'afficha sur son visage.

– Je me souviens effectivement. J'en suis bien l'auteur. Mais comment m'avez-vous retrouvée ?

– C'est mon métier de retrouver les gens !

Pauline Mosnier s'autorisa cette fois un franc sourire.

– Je ne portais pas de jugement sur vous, il ne s'agissait que d'une question. Voulez-vous entrer ?

– J'allais vous le demander. Merci.

– Je vous en prie, asseyez-vous.

L'appartement était coquet, décoré avec un goût certain. Des meubles chinés, cérusés pour la plupart et agencés harmonieusement.

Émilie Férain répondit à l'invitation et s'installa dans un fauteuil crapaud au cuir craquelé. Elle promena ses doigts sur les accoudoirs et respira des fragrances de cire et de miel. Un moment voluptueux...

Elle secoua la tête, semblant sortir d'un rêve et s'avança sur son siège.

– Pour répondre à votre question, j'ai commencé par retrouver l'article où il était question du financement d'une formation de deux guides pour sourds et muets.

– Permettez-moi de rectifier, intervint Pauline Mosnier. Parlez plutôt de sourds et de malentendants. Car la plupart des sourds parlent. Seulement, nous les comprenons mal. Nous distinguons difficilement leurs sons souvent inaudibles. Pourtant ils ressentent comme une forme de résonnance quand ils les émettent.

Émilie Férain demeura un instant bouche bée, provoquant un nouveau sourire chez son interlocutrice.

– Eh bien, je vais vous raconter une anecdote, reprit-elle. J'avais accepté de suivre des collègues pour assister à une rencontre de football. Ce sport n'est pourtant pas ma tasse de thé. Bref ! Une action litigieuse se produit sur le terrain entre deux joueurs, et je vois trois ou quatre rangées de spectateurs se lever d'un bond et se mettre à gesticuler, en s'adressant des signes de main d'un bout à l'autre de la ligne. Nous étions placés derrière un groupe de sourds-muets, pardon, de sourds et malentendants. Je n'ai pratiquement rien vu de toute la rencontre car ils commentaient chaque action, dressés sur leurs sièges et adressant à la cantonade des signes incompréhensibles pour moi. Le spectacle était moins sur le terrain que dans les tribunes. Quelle tchatche ! Un ballet abstrait dans l'espace. Une chorégraphie fluide. Un entrelacs de gestes, fait d'allers et retours, de mouvements en écho en une incroyable communion.

Cette fois, Pauline Mosnier éclata franchement de rire.

– Ces personnes ont une vision périphérique très large. Des yeux à facettes.

– Un peu comme chez les mouches ?

– La comparaison n'est pas heureuse. Cependant, vous verrez rarement des sourds et malentendants manger sur une table carrée, mais plutôt autour d'une table ronde. Justement, afin de pouvoir signer avec leurs proches voisins.

Émilie s'étonna.

– Vous venez de dire « signer ».

– En effet, parler se dit « signer », et les « signants » sont ceux qui pratiquent ou maîtrisent la langue des signes. Ces mouvements se situent dans une zone comprise entre le dessus de la tête et le nombril.

– À cause de la hauteur des tables ? plaisanta Émilie.

– Ne riez pas ! Vous ne croyez pas si bien dire. Mais revenons à votre visite. Vous souhaitiez recourir à mon aide.

Férain redevint sérieuse tout à coup.

– Nous enquêtons actuellement sur le meurtre d'une jeune fille retrouvée dans un coffre de voiture.

– Oh, mon Dieu !

– Je comprends votre surprise. Même si cela fait partie du quotidien de notre travail, ce genre de découverte ne laisse pas indifférent. C'est pourquoi nous devons mettre tout en œuvre pour identifier les assassins. Pour cela, nous nous appuyons sur des témoignages. Il se trouve qu'une personne habite dans l'environnement immédiat où le corps a été retrouvé.

– C'est votre criminel ?

– Non, non ! Juste un témoin. Quelqu'un qui pourrait éventuellement nous dire s'il a remarqué un détail particulier.

– Et vous allez m'apprendre que cette personne peut être concernée par notre sujet de conversation.

– Tout à fait exact ! C'est là que vous pouvez intervenir. J'aimerais que vous me serviez d'interprète, d'intermédiaire en quelque sorte. Je sais que vous êtes qualifiée pour le faire.

Son hôtesse ne cacha ni sa stupéfaction, ni son étonnement.

– Mais je serais incapable de procéder à un véritable interrogatoire ! Comment voulez-vous soutenir une telle discussion ?

– On ne peut pas renoncer sans avoir tenté quelque chose.

Elle se fit plus directive, insistante.

– Promettez-moi au moins d'essayer !

– Soit ! lui répondit Pauline Mosnier.

16

Après ce bain qui avait pu lui faire craindre le pire, l'odeur excrémentielle s'était atténuée et sa couche avait été retournée lui permettant de s'allonger sur une surface plus propre. Mais Jessica se retrouvait à nouveau écartelée, pieds et poings entravés aux montants du lit.

Après un peu de pitié ? Peut-être même du remords ?

L'inconnu l'avait maîtrisée fermement, une fois allongée dans la baignoire et l'avait maintenue aux épaules pour qu'elle se calme. Toujours sans le moindre mot. Avec seulement une violence plus appuyée dans les gestes, plus directive pour lui faire comprendre ce qu'il attendait d'elle.

Pourquoi l'avoir lavée ? Pourquoi avoir fait disparaître la moindre trace ? Dans quel but ? La nettoyer pour mieux la violer ? Or il n'avait encore jamais tenté le moindre geste dans ce sens.

Alors l'espoir était revenu chez Jessica. Et s'il avait décidé de la relâcher après avoir compris la folie de son geste ? Par sécurité, il n'avait jamais parlé. Jamais ne lui avait présenté son visage au grand jour. L'homme ne souhaitait pas être reconnu. C'est qu'il ne voulait donc pas sa mort !

Dans le bain, son geôlier avait même glissé un gant entre ses mains jointes, puis une savonnette. Elle avait eu envie de la porter à son nez pour en humer l'odeur de bien-être. Mais le sac de toile qui enveloppait sa tête l'en avait empêchée. Malgré la maille rêche et serrée, des émanations subtiles traversaient le tissu : des senteurs de fleur d'amandier !

Jessica avait pu enduire l'intérieur de ses cuisses de cette mousse douce et si parfumée, s'aidant des coudes pour ne pas s'affaler.

Une main ferme l'avait redressée brusquement, la contraignant à se remettre debout. Quelque chose s'était plaqué contre elle. Jessica avait sursauté et laissé échapper une plainte craintive. C'était seulement un drap de bain. Mais comment s'éponger avec les mains entravées ? Le cinglé s'amusait-il de ses gestes imprécis, de sa maladresse ?

Après lui avoir retiré la serviette des mains, l'inconnu lui avait empoigné le bras pour la guider, sinon elle aurait basculé la tête la première dans les escaliers.

On redescendait. Cette fois, la moquette murale lui avait brûlé le coude droit.

Un palier. Une porte.

Puis à nouveau des marches, le retour en enfer !

17

Bichat et ses deux tours jumelles. Le commissaire Louvel stationne son véhicule sans prendre le temps de trouver une place. Les deux hommes gagnent au pas de course le secrétariat des Urgences. Quentin bouscule l'homme qui se tient le coude appuyé contre le montant de la vitre.

– Vous ne pouvez pas attendre votre tour comme tout le monde ?

– Pas le temps ! On vous a amené un adolescent. Yann Fergeac. Dites-moi vite dans quel service il vient d'être admis, s'il vous plaît ! Je suis son père. C'est urgent.

« Tout est urgent ici », est tentée de lui répondre la soignante. Mais elle peut comprendre son état d'anxiété. Aussi pianote-t-elle le nom sur le clavier de son ordinateur, et s'en tient à un commentaire factuel :

– Il vient d'être transféré en réanimation. Je vous indique l'aile ainsi que l'étage du bâtiment.

Quentin se met à courir tandis que Louvel remercie et s'excuse auprès des autres patients. Devant l'ascenseur qu'il ne cesse d'appeler en appuyant rageusement sur le bouton, son patron tente de le rassurer :

– Calme-toi ! On y est presque.

– Plus vite, bon Dieu !

Essoufflé et nerveux, Quentin ne cesse de se passer la main dans les cheveux, se mordillant la lèvre. Autant de signes qui trahissent son émotion, son impatience, mais surtout son impuissance.

– C'est par là, lui indique le commissaire, plus lucide.

Un vrai labyrinthe. D'autres ascenseurs. Puis une enfilade de couloirs numérotés par spécialités médicales.

« Réanimation ». « Entrée interdite à toute personne étrangère au service ». Quentin souffle sa rage, son désespoir, tournant plusieurs fois sur lui-même. « Secrétariat ». « Bureau des infirmières ».

– Monsieur, vous cherchez ?

– Excusez-moi. Mon fils vient d'être admis dans votre service. Puis-je le voir ?

– Je vais vous demander de passer en salle d'attente, sur votre gauche en ressortant de ce bureau. Quelqu'un va venir vous voir. Quel est le nom du patient ?

– Yann Fergeac.

– On va s'occuper de vous très rapidement.

Le commissaire Louvel entraîne Quentin par le bras jusqu'à la salle indiquée. Assise, les coudes sur les genoux, le visage dans les mains, Ellen redresse la tête et se lève d'un bond sans pouvoir réprimer ses larmes. Des soubresauts agitent son corps.

– Qu'est-ce qu'on est en train de lui faire ?

Les pleurs d'Ellen redoublent.

– Je n'ai pas été autorisée à le suivre, répond-elle en hoquetant. Mon pauvre petit Yann ! Ils l'ont emporté inconscient. Mon Dieu ! Faites qu'il revienne à lui !

Le commissaire Louvel, l'ami de la famille, s'approche d'elle, embarrassé et confus d'être témoin de la détresse du couple.

– Asseyons-nous ! Peux-tu nous dire dans quelles conditions tu as trouvé Yann ?

Ellen se mouche bruyamment et essuie ses joues d'un revers de main.

– Je suis revenue à la maison plus tôt que prévu. Je pensais que Yann était sorti. Je n'entendais pas de bruit dans sa chambre. Dans la cuisine, j'ai trouvé un verre vide sur la table. Un pack de jus de fruit était entamé, à côté. J'ai appelé Yann, à tout hasard. Alors je me suis rendue dans sa chambre et là… Oh, mon Dieu… Yann !

Elle porte les mains à ses joues, revivant la scène. Ses yeux exorbités cherchent un point où se fixer dans l'espace, un rictus de douleur lui tord la bouche. Elle ne peut retenir une nouvelle crise de larmes.

Quentin la force à le regarder.

— Qu'est-ce que tu as vu ?

— Il était allongé sur le lit, un bras le long du corps, une main près de sa tête. J'ai cru qu'il sommeillait, mais quelque chose dans son attitude m'a inquiétée. Alors je me suis approchée, et c'est là que j'ai remarqué le cordon en plastique autour de son cou. J'ai hurlé, je l'ai secoué, mais il ne bougeait plus. Comme je n'arrivais pas à glisser mes doigts entre son cou et le cordon, je suis allée prendre un couteau dans la cuisine. J'ai réussi à couper la ficelle. J'avais peur de l'avoir blessé. Je lui parlais mais il ne me répondait pas. Ses yeux étaient révulsés. J'étais folle. J'ai téléphoné au SAMU qui est venu tout de suite.

Quentin se lève en tapant rageusement du poing sur le dossier de sa chaise.

— Mais qu'est-ce qu'ils foutent ? Merde !

— Calme-toi, répond Louvel. Je vais aller me renseigner.

La porte s'ouvre alors qu'il va sortir. Deux hommes revêtus d'un vêtement bleu-nuit pénètrent dans la pièce. Leur visage est empreint d'une profonde réserve. L'un d'eux prend la parole :

— Êtes-vous les parents de Yann Fergeac ? Nous sommes désolés. Nous avons tout tenté.

18

L'architecture moderne du commissariat de police de Clichy-Montfermeil laissa le groupe admiratif. Sa façade vitrée et les murs aux panneaux couleur rouille valaient peut-être le détour, mais il n'était pas destiné à des visites touristiques. Les policiers de la Crim' pénétrèrent dans le grand hall, reçus avec le sourire par une jeune adjointe de sécurité.

– Fergeac. Un collègue. Vous pouvez m'annoncer à votre responsable ?

– Un instant !

À l'intérieur, l'ambiance apaisante de l'accueil rappelait plus celle d'un salon d'hôtel que celle d'une structure administrative. Un mobilier contemporain, moderne dans ses matériaux et ses couleurs, des tables basses recouvertes de brochures.

– Vous pouvez monter. Deuxième étage, bureau 216.

Le commandant Druenne les attendait dans le couloir devant sa porte.

– Par ici !

Fergeac se présenta.

– J'aurais besoin de tes locaux pour la déposition d'un témoin des Bosquets. Son frangin est en garde à vue. Tu t'en occupes ?

– Mes gars m'ont mis au parfum. Tu t'en es bien tiré !

– Un peu craignos. Sale zone pour une perquise… Merci pour ton aide ! Ça semble mieux fonctionner avec les jeunes ?

– On commence à réoccuper le terrain, mais un grain de sable suffirait pour tout chambouler. Et toi, tu bosses sur quel genre d'affaire ?

– Un meurtre sur une ado et une disparition inquiétante, celle de sa copine.

– Des pistes ?

– On a arrêté deux suspects, mais ils nient tout en bloc.

– Tu as des billes ?

– Des preuves qu'on pourrait qualifier d'accablantes.

– Ben alors ?

– Justement ! Figure-toi que je doute. Trop beau pour être vrai.

– Et le témoignage que tu viens recueillir ?

– Il pourrait bien m'ouvrir une nouvelle porte. Tu nous trouves un bureau ?

– Suis-moi !

– Tu n'es pas mal installé, dis donc.

– C'est vrai. D'un côté, les locaux sont plus fonctionnels mais en contrepartie, nous y avons perdu en convivialité. Je parle de celle que nous partageons entre nous.

– Tu veux dire que ça manque d'éclats de voix et de grands rires ?

– On voit maintenant des collègues s'enfermer dans leurs bureaux pour mieux travailler dans le calme. Pour un peu, on en deviendrait individualistes.

– La mort des groupes. Ça n'est pas encore notre cas au « 36 ».

– À quand votre déménagement ?

– Pour certains : le plus tard possible. Justement pour les raisons que tu viens d'exposer.

– Et pour toi ?

– Faut vivre avec son temps.

Un appel de l'accueil vint mettre fin à leurs commentaires plus ou moins convenus. Issate Faye venait d'arriver avec sa mère. On les conduisit dans le bureau du second étage. Rieulay connecta son ordinateur portable tandis que Fergeac se plaçait debout derrière lui, dos au mur.

Quentin prit les directives.

– J'aimerais que tu m'en dises plus sur ce prof de Sciences de la Vie et de la Terre. Qu'est-ce qui te fait penser qu'il pouvait tourner autour de Jessica ?

– Y'a qu'à demander à toutes les meufs de la classe.

– On le fera, crois-moi, mais en attendant, c'est à toi que je pose la question. Quel âge a-t-il ?

– Un vieux, comme vous.

« Comme vous. À même pas quarante ans, pensa le policier. Manque pas de toupet, la gamine ! »

Quentin et Paluches éclatèrent de rire. La mère les imita, mais timidement, juste d'un sourire.

– Et quel est son comportement avec Jessica ? Je veux dire en classe, car je suppose qu'ils ne se rencontrent pas à l'extérieur.

– Il est toujours à se pencher sur elle, pour la coller dans le dos. Il lui tripote le bras, les épaules. Il ne peut pas s'en empêcher. Il lui balance sa mauvaise haleine dans les narines. Il pue le vieux.

– Décidément, tu fais une fixation sur tout ce qui dépasse ton âge.

– Les jeunes avec les jeunes, les vieux…

– …avec les vieux. Oui, je sais. On va changer un peu de sujet, si tu veux bien. Restons donc avec les jeunes. Est-ce que Jessica en a parlé au directeur du collège ?

– Ça va pas, non ! On n'est pas des balances. Y'a les grands frères pour s'occuper de ça.

– Son prof a déjà dérouillé ? Tu me parles de grands frères.

– Jessica n'a pas besoin d'eux. Pour l'instant, elle sait se défendre toute seule. L'autre l'a bien compris. Elle l'a claqué au mur devant tout le monde. Ça lui a fait drôle. Ah, le bouffon !

– Que s'est-il passé ?

– C'est à cause du cours.

– De quel cours veux-tu parler ?

– Sur la théorie du genre. Comme quoi on n'était ni fille ni garçon à la naissance. Comme quoi on était conditionné. C'est le mot qu'il a dit. Par nos habits. Par nos jeux. Comme quoi on nous donnait des jouets par rapport à notre sexe : des pistolets et des outils de bricolage si on était un garçon, des poupées et des dînettes si on était une fille. Des vraies conneries ! Jessica lui a balancé qu'il n'était pas de notre siècle et tout le monde a éclaté de rire.

Madame Faye tourna la tête vers sa fille.

– C'est ça qu'on vous apprend à l'école ?

La jeune Africaine haussa les sourcils et fit la moue. Rieulay crut bon de devoir enfoncer le clou.

– C'est une théorie qui tend à se développer dans certains milieux. L'orientation sexuelle des individus déterminerait seule leur véritable appartenance à l'un des deux sexes. Pas étonnant que ça perturbe nos jeunes.

— Si je comprends bien, coupa Fergeac, irrité par ce discours moralisateur, Jessica aurait répliqué ?

Issate secoua la tête.

— Elle lui a dit que, dans les quartiers, les garçons interdisaient aux filles de porter des jupes, pour ne pas les provoquer. Qu'elles devaient se balader dehors avec des pantalons de survêt' et des pulls très larges, pour ne pas ressembler à des putes. Mais que, dans les tournantes, ils savaient bien distinguer une fille d'un garçon, même si elle portait un jean.

— Et qu'est-ce qu'il a répondu ?

Issate haussa les épaules.

— Les filles ont dit que tous les hommes étaient des salauds, et Jessica lui a reproché ses tripotages.

— Et ça ne lui a pas plu, je suppose ?

— Grave ! Il a dit qu'il lui ferait regretter ses paroles.

— C'est ce qu'il a fait ?

— C'était le dernier jour de classe avant les vacances. On verra bien à la rentrée.

« Si jamais Jessica réapparaît… », pensèrent tout bas Fergeac et Rieulay.

19

La cour du collège Albert Camus était toujours désespérément vide.

« C'est beau une ville, la nuit », écrivait Bohringer. « C'est triste, une cour d'école sans les cris », pensait Quentin.

– Encore vous ! s'exclama Anselme le concierge, en voyant Fergeac et Féraud s'encadrer dans la porte de la loge. Dites-moi que vous venez terminer les peintures, parce que Minko s'est mis aux abonnés absents. Je ne l'ai pas revu depuis que vous l'avez embarqué. Vous ne l'avez quand même pas gardé depuis tout ce temps ?

– Il a changé de crèmerie, répondit Féraud, amusé. Il est en train de repeindre sa cellule à Villepinte, sa façon maintenant de faire le mur.

– Vous l'avez enfermé ? C'est si grave que ça ? Vous parliez juste d'une petite vérification. Après ça, étonnez-vous qu'on ne croie plus à la parole des policiers !

– Je souhaiterais consulter la liste des professeurs. J'ai besoin d'une adresse, demanda Fergeac.

– Alors pour ça, ne comptez pas sur
moi ! C'est de l'ordre du secret. Il n'y a
que le principal qui pourrait vous renseigner mais...

– Je sais. Il trace actuellement des sillons dans la neige molle.

– Alors, si vous le savez... !

– Il a bien un adjoint, votre responsable, et je vous conseille de l'appeler tout
de suite parce que je commence à perdre
patience. Une gamine de votre collège a
disparu dans des conditions qui nous font
craindre le pire pour sa vie. Le temps nous
est compté pour la retrouver. Et si tout se
passait mal, on en viendrait à calculer celui
que vous nous avez fait perdre dans notre
enquête. Suis-je assez clair ?

Anselme enfonça la tête dans ses épaules,
comme s'il craignait que le glaive de la Justice ne vienne le frapper violemment.

– Suivez-moi ! Je vais consulter le fichier.

– C'est pas trop tôt !

Le concierge se positionna derrière
un écran allumé dont il ouvrit plusieurs
fenêtres. Il cliqua sur l'une des cases d'un
organigramme qui lui apporta la réponse
qu'il cherchait.

– Vous aurez de la chance si vous la
trouvez chez elle.

Anselme porta le combiné à son oreille. Dire qu'il rectifiait sa position en écoutant la voix de son interlocutrice serait exagéré, mais il sembla à Fergeac que l'homme apportait une certaine déférence en annonçant la raison de son appel.

– Elle accepte de vous parler, dit-il en tendant l'appareil.

– Encore heureux ! Manquerait plus que ça !

Quentin fulminait.

– Madame, bonjour. Je suis le commandant de police Fergeac, de la Crim'. Je suis en fonction au quai des Orfèvres et j'enquête sur l'assassinat d'une élève du collège Cesaria Evora de Montreuil ainsi que sur la disparition inquiétante d'une de ses copines avec qui elle se trouvait. Nous recherchons Jessica Graincourt, élève de 3e dans votre établissement. J'ai besoin d'avoir accès de toute urgence à une adresse que vous seule pouvez me communiquer. Êtes-vous actuellement dans le secteur ? Sinon, où puis-je vous rencontrer ?

– Vous avez de la chance, si je puis dire, car dans quelques heures, nous partons mon mari et moi sur notre lieu de vacances. Je vous rejoins tout de suite au collège.

Fergeac rendit le téléphone au concierge.

– Alors ? Elle devait être en pétard ?

– Je crois que ça va chauffer pour votre matricule, répondit Quentin en adressant un clin d'œil complice à Féraud. Je vais en profiter pour passer quelques coups de fil dehors en attendant la responsable.

Quentin informa sa hiérarchie, puis il appela le juge qui suivait le dossier pour évoquer avec lui le sort de Faye.

– Tu as appelé Bonnevey ? demanda Féraud, venu le rejoindre dehors.

– Je viens de l'avoir.

– Qu'est-ce qu'il dit ?

– Il ne veut pas prendre de décision tout de suite.

– C'était à prévoir, non ? À part une complicité par fourniture de moyens...

Une femme s'approchait d'un pas assuré. Sa démarche témoignait d'une autorité naturelle.

– Bonjour, messieurs. Delphine Dumontier. Je suis la responsable-adjointe de l'établissement. J'avoue que votre appel m'a fait froid dans le dos. J'en frissonne encore, dit-elle en secouant les épaules. En quoi puis-je vous aider ?

– Peut-on évoquer l'affaire à l'intérieur ?

Elle adressa un simple bonjour au concierge, sur un ton un peu sec.

Anselme devait les maudire à cet instant. Fergeac et Féraud la suivirent. Le bruit de ses talons résonnait dans les couloirs vides. Les deux hommes échangèrent dans son dos un regard de connivence. Il ne devait pas faire bon la contrarier !

La décoration d'un bureau reflétait généralement la personnalité de son occupant. Dans le sien, pas la moindre gravure, le plus petit poster renseignant sur les goûts de madame Dumontier. Une volonté sans doute de ne pas mélanger vie publique et vie privée.

– Vous m'avez parlé d'une adresse.

Quentin s'avança sur sa chaise, comme s'il souhaitait donner à la conversation un ton plus personnel.

– Nous nous intéressons à un enseignant, un certain Luc Vernoy.

La stupeur s'afficha sur les traits de son interlocutrice. Une disparition d'élève. Un professeur du collège. Difficile pour elle de ne pas imaginer la suite.

– Quel rapport entre la jeune Graincourt et lui ?

Fergeac contourna la question par une autre interrogation.

– Comment est-il perçu dans l'établissement ?

– Je ne comprends pas votre question.

– On lui reprocherait des gestes un peu trop appuyés, un peu trop directs sur les jeunes filles pendant les cours.

– Qu'est-ce que vous racontez là ! Si c'est pour dénigrer le corps enseignant, je pense que l'on n'a plus rien à se dire.

Quentin émit un bruit de succion avec sa langue.

– Je rapporte simplement le témoignage d'une élève de sa classe. Tout peut être sujet à une interprétation erronée. Je vous le concède. C'est la raison pour laquelle je vous demande votre avis.

– Aucune remarque de ce genre n'a été portée à notre connaissance.

– Toujours selon notre témoin, une altercation se serait produite en cours entre Jessica Graincourt et ce professeur le dernier jour précédant les vacances de Pâques.

– Une altercation, dites-vous ?

– En fait, plutôt un échange verbal musclé.

– La raison ?

– L'approche de la théorie du genre par votre enseignant. Elle aurait été mal perçue par ses élèves, et le ton serait monté pour déboucher sur des insultes.

– De quelle nature ?

– Concrètement, tous les hommes seraient des salauds, et donc monsieur Vernoy aurait fait aussi partie du lot. D'autant plus que son attitude jugée bizarre… Ça, c'est Graincourt qui le dit. Bref ! Vernoy aurait répondu à Jessica qu'il lui ferait regretter ses paroles.

Delphine Dumontier avait gardé les mâchoires serrées. Elle fixait Fergeac intensément. Quelles pensées l'animaient à cet instant ? Accorder du crédit à la parole des adolescents comme elle s'attachait à le faire généralement, ou combattre bec et ongles la calomnie ?

– Ce que vous relatez est très grave si les faits sont avérés, mais je me méfie toujours des réactions exacerbées dans un contexte particulier. La jeune Graincourt a disparu et vous en déduisez que monsieur Vernoy pourrait en être responsable. N'est-ce pas aller un peu vite en conclusion ?

Fergeac leva la main en signe d'acquiescement.

– C'est la raison pour laquelle nous souhaiterions recueillir la version de l'enseignant lui-même. C'est également l'intention du juge d'instruction qui suit ce dossier.

L'évocation de la qualité du magistrat fit l'effet d'un électrochoc.

– Il me faudrait en référer à l'inspecteur d'académie.

– Vous ne croyez pas qu'on brûle les étapes ? Nous voulons juste échanger avec

votre collègue. Parfois, un témoignage ano-
din se révèle plus important qu'on ne l'aurait soupçonné.

– Certes !

– Pour tout vous dire, deux hommes
sont actuellement en détention provisoire
suspectés d'être responsables de la mort
d'Açelya Bozkir, l'amie de Jessica. On sait
également que les deux jeunes filles étaient
vraisemblablement ensemble au moment
du crime. Vous voyez qu'on est loin de
votre professeur.

Un soulagement manifeste détendit
Delphine Dumontier.

– Effectivement. Vu sous cet angle ! Je
vais vous communiquer son adresse.

– Puis-je également compter sur votre
discrétion ? suggéra Fergeac. Je préfèrerais
que monsieur Vernoy ne nous attende pas
avec le café et les petits gâteaux.

– Je comprends ce que vous voulez dire.
N'ayez aucune crainte, même si cela bouscule mes principes.

20

Au service, les parents des jeunes filles avaient manifesté le souhait de rencontrer Quentin Fergeac pour faire le point sur les avancées de l'enquête. Retenu à son bureau, il avait donc envoyé Féraud et un ripeur au domicile de l'enseignant. Quant à se poser la question de savoir s'il allait recevoir ensemble les familles, le sort avait décidé à sa place puisqu'il les trouva réunies.

Chaque fois, Fergeac redoutait le moment de rendre des comptes. Heureusement, les hommes de la Crim' ne laissaient rien au hasard, s'appliquant à suivre chaque piste avec méthode, et à vérifier chaque témoignage.

Les flics se gardaient bien de laisser libre cours à leur imagination, à leur seule intuition dans une enquête criminelle. Objectivement, à charge et à décharge, à la manière de tout juge d'instruction qui se respecte. « Rester factuel », se convainquait Quentin, en invitant les familles à s'asseoir.

Les époux Bozkir prirent place les premiers. La mère de Jessica se mit un peu à l'écart du couple. Ce détail ne pouvait échapper à Fergeac. Sans doute y avait-il eu une explication entre les parents, peut-être l'allégation d'une faute, ou l'allusion à une éventuelle responsabilité.

Quentin prit sa respiration.

– Dans les circonstances actuelles et l'inquiétude qui est la vôtre, sachez que je trouverais légitimes toutes vos interrogations. Aussi, n'hésitez pas à poser les questions qui vous viendraient à l'esprit. J'y répondrai en toute franchise car je ne veux pas vous tenir en dehors de notre enquête.

Madame Bozkir gardait les mains à plat sur le haut de ses cuisses sans quitter le regard de Fergeac. Un voile noir enserrait son visage, celui d'une mère tourné vers celui qui représentait son dernier espoir et pouvait répondre aux ultimes questions. Pourquoi Açelya était-elle morte ? Pourquoi elle, et comment en était-on arrivé là ?

Dogan Bozkir prit la parole.

– Est-ce que les hommes que vous avez arrêtés ont reconnu avoir tué ma fille ?

– Ils n'ont fait aucun aveu devant le juge d'instruction. En tout cas, pas pour l'instant. Nous-mêmes, n'avons pas réussi à recueillir de leur part des explications plausibles.

Les épaules du Turc s'affaissèrent. Fergeac s'adressa aux familles :

– Est-ce que vous vous étiez déjà rencontrés avant d'accepter que vos enfants se retrouvent le week-end chez l'une ou chez l'autre ?

Une fois encore, Bozkir prit la parole :

– Nos filles se fréquentent depuis longtemps. Au début, on déposait Açelya chez Jessica. Après, elle prenait les transports en commun.

Madame Graincourt approuva.

– J'ai fait la même chose. Jessica se rendait chez eux de la même manière. Je vis seule avec mes filles. Mon mari nous a quittées depuis longtemps.

L'instant le plus délicat approchait : celui de révéler aux parents la réservation en commun de la chambre pour une semaine. Il n'était pas nécessaire d'aborder l'orientation sexuelle des jeunes filles.

– Nous avons retrouvé la trace de vos enfants, dans un hôtel *Première Classe* à Montreuil. Des caméras y ont enregistré leurs allées et venues.

La stupéfaction se lut sur les visages de madame Graincourt et des époux Bozkir.

– Dans un hôtel !

L'exclamation jaillit de concert.

– Il semble donc que vos enfants aient trahi votre confiance. Était-ce déjà arrivé par le passé ?

Le couple Bozkir et madame Graincourt s'interrogèrent du regard. Un long temps d'hésitation, d'incertitude, de doute.

– Comment en être sûrs maintenant puisque nous n'avons rien vu venir. Je croyais vraiment qu'Açelya se trouvait chez vous, reconnut Dogan en se tournant vers madame Graincourt. Peut-être même que vous étiez au courant de leurs petites combines. Hein ? Notre fille n'aurait jamais eu l'idée de nous mentir ! Et qui a payé la chambre puisqu'elle n'avait pas d'argent de poche ? Je vous le demande !

Les yeux de la mère de Jessica lancèrent des éclairs.

– Parlez pour vous ! Mes filles ont reçu une bonne éducation. Elles ne sont pas du genre à traîner dans les rues.

Dogan Bozkir bondit de sa chaise, mais Fergeac avait déjà anticipé sa réaction, et il aida l'épouse à contenir les ardeurs de son mari.

– Asseyez-vous, monsieur Bozkir. Il ne sert à rien de vous jeter ainsi au visage des mots qui font mal et qui sont plus dictés par la douleur que par votre intérêt. Vous êtes tous les trois associés dans le même malheur et vous seriez plus forts en restant solidaires. Concentrez toutes vos énergies pour nous aider à retrouver Jessica et pour faire définitivement condamner et punir les responsables de la mort d'Açelya !

En proie à une vive émotion, madame Bozkir laissa ses larmes inonder son visage ravagé par la douleur et les longues nuits sans sommeil. Un élément déclencheur pour sa voisine qui renifla fortement avant de s'abandonner également à son chagrin. Deux mères se rejoignaient dans la peine.

Clément Rieulay tripota son alliance pour se donner une contenance tandis que Fergeac attendait le moment propice pour relancer la discussion. Il croisa le regard de Dogan Bozkir, mal à l'aise également, peu habitué à de telles effusions. Il convenait de dissiper ce malaise ambiant.

– Nous avons procédé à l'audition d'un nommé Faye. Il semblerait que sa sœur soit une amie de vos filles. Est-ce que ce nom vous dit quelque chose ?

Des moues d'ignorance, des mouvements de tête négatifs exprimèrent leur doute jusqu'à ce que madame Graincourt retourne la question :

– Pourquoi nous demandez-vous cela ? Ce Faye aurait un rapport avec la disparition de ma fille ?

– Pas directement. C'est lui qui a loué la chambre pour plusieurs jours, car vos enfants étaient mineures. Mais il semble apparemment hors de cause pour le reste car rien n'indique qu'il les ait revues par la suite. Il aurait juste servi d'intermédiaire pour leur compte.

– Et cette fille, sa sœur, est-ce qu'elle était aussi avec elles à l'hôtel ? s'informa Bozkir.

– Non. Il s'agit simplement d'une copine de classe. À ce propos, est-ce que vos enfants rencontraient des problèmes au collège avec d'autres élèves ? Je pense à du harcèlement, à des agressions ou du racket.

– Açelya en aurait parlé à sa mère, répondit monsieur Bozkir tout en cherchant l'assentiment de sa femme.

Celle-ci baissa les yeux pour éviter de croiser le regard de son mari qui remarqua son trouble et s'en inquiéta. Comme la mère de Jessica qui s'avança sur sa chaise en se tournant vers elle :

– Elle vous a dit quelque chose ? Mais répondez ! Si vous savez quoi que ce soit, dites-le. Qu'est-ce qui vous empêche de parler ?

Madame Bozkir secoua la tête avec véhémence.

– Je ne sais rien. Je ne sais rien.

Puis elle fondit à nouveau en larmes.

21

De toute évidence, l'épouse turque ressassait quelque chose. Difficile pour Fergeac de la prendre à part. Son mari ne la quittait pas des yeux, la soupçonnant de lui cacher quelque confidence, mais elle refusait de parler. Le retour au domicile promettait d'être houleux. Ce n'était que partie remise pour l'enquêteur. Bozkir ne saurait jouer les gardes-chiourmes éternellement.

Le capitaine Féraud appela Quentin au téléphone.

– Oui ?

– Je suis devant l'appart' du prof, à Épinay. Personne ne répond. Impossible d'en apprendre plus de la part des voisins. Tout le monde s'ignore.

– On va donc agir. En vertu de la commission rogatoire, procédure habituelle pour pénétrer dans les lieux. Tu me tiens au courant !

Fergeac maugréa. « N'ayez aucune crainte même si cela bouscule mes principes », lui avait assuré Delphine Dumontier, la principale-adjointe. Ben tiens !

Rieulay passa la tête dans l'encadrement de la porte.

– C'était un coup de fil de Pompon ?

– Ouais ! Et devine ?

– Le mec s'est fait la malle.

– Tu parles ! Les loups ne se mangent pas entre eux. Quand je pense qu'elle avait promis de ne pas le contacter. Note bien, je ne me faisais quand même pas trop d'illusions.

Paluches haussa les épaules, fataliste.

– Ils vont taper une perquise ?

– Oui. Ils attendent un serrurier et vont requérir deux témoins. Ça risque peut-être de prendre du temps.

– Dans ce cas, je vais les rejoindre. Tu peux les prévenir ?

Fergeac enrageait. Que de temps perdu. Surtout ne pas laisser place à la gamberge. Raisonner sur du concret. Toujours rester « factuel » !

L'absence de l'enseignant avait peut-être une explication plus simple. La responsable de l'établissement ne lui avait-elle pas communiqué deux adresses, l'une sur Épinay, l'autre dans le Pas-de-Calais ? En période de vacances scolaires, le prof pouvait très bien avoir regagné le domicile familial. Quoi de plus normal, finalement.

L'enquête piétinait. Par chance, le placement en détention de l'Indien et du « croque-mort » avait calmé les ardeurs des journalistes, d'ordinaire plus pressants quand il s'agissait de s'interroger sur les capacités et compétences des policiers.

Les pistes partaient dans plusieurs sens. D'abord les deux pèlerins dépravés, puis Faye l'Africain, et aujourd'hui Luc Vernoy, l'enseignant. Sans fil conducteur.

Et que penser des relations ambigües entre les deux gamines ? Pourquoi cette réserve chez madame Bozkir ? Avait-elle deviné les préférences sexuelles de sa fille ? Certains détails n'échappent pas à une mère. Le père d'Açelya paraissait plutôt pointilleux sur la stricte morale.

Pourquoi ne retrouvait-on pas le corps de Jessica si elle était toujours en vie ? Ce silence couvrirait-il une dispute funeste entre les filles ?

« Bon sang ! Voilà que je me laisse aller à la gamberge, ragea intérieurement Quentin, les faits, rien que les faits ! Un cadavre est découvert... Un cheveu étranger sur la peau... Le propriétaire de ce poil identifié... Comme par hasard, un détraqué sexuel. Emballez, c'est pesé ! À vous monsieur le juge, l'honneur des aveux ».

Et cependant, pour Fergeac, un sentiment d'inachevé. La Crim' n'était pas saisie pour des faits aussi simples. Une autre vérité restait à découvrir.

Une autre vérité... Un sentiment d'inachevé... L'image s'imposa de son fils, Yann, douze ans à l'époque...

La main de Quentin cherche celle d'Ellen. Les derniers amis se sont éloignés de quelques mètres pour les laisser se recueillir, seuls, une dernière fois avant que les ouvriers ne fassent glisser définitivement la pierre tombale.

Le commissaire Louvel regarde le couple, les yeux voilés. Le commandant Fergeac, si fringant, si énergique et si tonique n'est plus que l'ombre de lui-même. Le dos voûté, la tête rentrée dans les épaules, son chef de groupe vient de vieillir prématurément.

Le groupe Fergeac est présent au grand complet. Le capitaine Féraud, Pompon, ne cesse de lisser ses épais sourcils. Un hasard si une larme vient sourdre au coin de son œil, au même moment ? Clément Rieulay, le procédurier, triture ses grosses mains dans le creux de ses poches, sans doute pour dissimuler le tremblement compulsif qui les agite depuis quelques heures. La brigadière Émilie Férain porte pour la circonstance une jupe droite, étroite et noire, manière de dépasser la relation boulot-hiérarchie et de prouver son amitié. Michel Solau, le brigadier-chef, ne s'est toujours pas rasé, mais a pris soin de discipliner ses cheveux d'un coup de peigne incertain. L'autre ripeur, Fred et ses lunettes à la Lennon, est peut-être en train de chanter dans son cœur un bien triste « Imagine ». Et puis, et puis...

Les gerbes de fleurs recouvrent la pierre tombale. Quentin pouvait-il penser qu'un jour le caveau familial servirait de demeure éternelle à son fils bien avant que lui-même n'y soit déposé ? Yann, le petit-fils, a rejoint ses aïeux au Père-Lachaise, des charbonniers auvergnats de l'autre siècle, déracinés dans cette cité, chassés par la misère de leurs origines terriennes, exilés loin de leur chaîne des Puys, émigrés venus alimenter les chaufferies des grands immeubles parisiens.

22

La sonnerie de son portable ramena Fergeac à la réalité.

– Je t'écoute, Pompon.

– On est entré. Un petit F1. Personne à l'intérieur, mais une découverte intéressante. Je te laisse deviner.

– Ça te plaît de me faire mariner ?

– Tu te souviens du cahier de poésies qu'Émilie a retrouvé dans la chambre de Jessica ? Eh bien, on vient de mettre la main sur son petit frère.

– Euh… ?

– Je t'explique. Un autre journal intime, apparemment écrit par la petite Graincourt. On comparera l'écriture des deux quand je rentrerai au service. Mais pour moi, il n'y a aucun doute. Il ne s'agit plus de poésies mais de véritables déclarations d'amour adressées à Açelya.

Fergeac se balança sur sa chaise en se passant la main dans les cheveux.

– Qu'est-ce qu'il comptait bien faire avec ce cahier ? Et tu dis que le prof n'est pas chez lui ?

– Je te propose une planque devant l'appart' jusqu'à la tombée de la nuit. S'il ne revient pas, on ira vérifier à l'autre adresse au cas où il serait reparti dans sa famille en profitant de la période des vacances.

– Ok ! On la joue comme ça. L'IJ arrive. En attendant, je vais prendre attache avec les collègues de Lens, histoire de voir s'ils le connaissent là-bas.

« Décidément, se persuada Fergeac, cet enseignant mérite bien qu'on s'intéresse à lui ».

– Tu peux me rejoindre ?

La voix du commissaire Louvel interrompit ses réflexions.

Des piles de dossiers s'étageaient sur le bureau de son chef de section. Le visage était grave.

– Lis ! Tu peux la prendre sans crainte. L'Identité judiciaire n'a relevé aucune trace.

Quentin manipula la feuille avec précaution tandis qu'il parcourait rapidement des yeux le texte écrit de manière malhabile. De toute évidence pour truquer la véritable signature de l'auteur.

La petite gouine n'ira pas s'afficher cette année à la marche des fiertés LGBT. Dommage pour elle et sa copine mais cela valait mieux pour la morale.

Fergeac leva les yeux. Sa main tremblait légèrement.

– Merde ! Ça voudrait dire que le même aurait également tué Jessica. On n'a pas été bon sur ce coup-là. Mais qu'est-ce qu'il a fait du corps ?

– La découverte du premier cadavre était fortuite. Elle aurait pu n'intervenir que bien plus tard. Dans tous les cas, l'enquête prend une autre tournure.

Quentin opina de la tête et suggéra :

– La gay pride est prévue dans deux mois. Tu n'as pas l'impression qu'on a affaire à des mouvements de culs-bénits comme...

– Ne va pas trop vite en besogne, non plus. C'est peut-être uniquement de la diversion.

– Le style n'est pas celui d'un être fruste. Et l'auteur du texte se tient parfaitement au courant de l'actualité. Depuis cette année, tu le sais, le mouvement a englobé dans son sigle les lesbiennes, les gays, les bisexuels et les transsexuels. Elle est là, la signification de LGBT. Notre assassin connaissait bien les mœurs et sentiments des deux gamines. Il y a peut-être quelque chose à gratter de ce côté-là ?

– Je vais prévenir le juge, dit Louvel. C'est toujours Bonnevey qui instruit ?

– Oui.

– Et pour votre enseignant, toujours pas de nouvelles ?

– Féraud planque jusqu'à ce soir devant son appartement. L'oiseau n'était pas au nid. Je m'inquiète d'un esclandre qui a eu lieu en classe la veille des vacances, entre la petite Graincourt et ce prof. Il y était question de la théorie du genre. Une explication apparemment mal digérée de la part de Jessica. Mais je voudrais vérifier tout de suite quelque chose. Tu as remarqué le support du texte ?

Quentin agita la feuille.

– Tu veux parler de cette page de cahier ?

– Oui, et comme par hasard, Féraud a retrouvé en perquise chez le prof un cahier intime appartenant de toute évidence à Jessica. Attends. Je l'appelle…

– Dis-moi, Pompon ! Vérifie dans le cahier de la petite s'il y a des pages arrachées ?

La réponse de Féraud le laissa sur sa faim.

– Paluches est reparti avec. Il rentre au service. Tu pourras vérifier toi-même. Mais, de mémoire, il me semble bien que des pages ont été arrachées dans ce cahier.

Quentin se tourna vers le commissaire Louvel, une moue d'inquiétude sur les lèvres.

– Ça ne sent pas bon du tout pour le prof !

23

Jessica Graincourt pleurait en silence. De chaudes larmes sinuaient le long de ses joues jusqu'à la base de son cou. Elle frissonnait dans sa nudité. Elle avait faim. Elle avait soif. Elle avait peur.

Malgré ses efforts désespérés, les attaches restaient fermement solidaires des montants du lit en fer. Ses mouvements ne faisaient qu'amplifier la douleur. Les lacets de nylon s'incrustaient dans ses chairs.

Depuis combien de temps était-elle prisonnière ? Où pouvait être Açelya ?

Tenter de raisonner pour comprendre, pour trouver la faille dans leur histoire. Qui pouvait savoir pour elles deux ? Issate avait fait des yeux ronds lorsque Jessica lui avait exposé son intention. Elle avait bien tenté de la dissuader en démontant un à un ses arguments avant de se ranger finalement de son côté.

« Vivre ses rêves, ses fantasmes, oser l'interdit, transgresser, abaisser les barrières ». « Vivre sa folie, ne serait-ce qu'une seule fois dans sa vie ». Devenue complice,

Issate avait favorisé la réussite du projet.
Restait à convaincre son frère Badou. Pas
facile ! Mais il avait quand même accepté.

En revivant mentalement sa première
nuit dans les bras d'Açelya, d'autres frissons lui revenaient dans les cuisses, lui
parcouraient la nuque. Des plaisirs leur
étaient promis pour toute une semaine,
sans autre retenue que le *Ne pas déranger*
sur la poignée de la porte, porte fermée sur
les interdits. Une seconde journée et encore
une nuit, plus intense, avaient suivi.

Le McDo, à croquer dans un Cheeseburger, les jambes entremêlées sous la table,
à dévorer les yeux d'Açelya, à caresser ses
doigts. Le visage dans le miroir des toilettes, rayonnant de bonheur.

Et puis le parking. Avec Açelya. Cette
bouche que le gloss redessine et recouvre
d'un bel éclat. Pour elle, rien que pour elle.
Comme un cadeau avant de la perdre.

Et soudain, un coup de genou par derrière qui me fait hurler.

« Lâche-moi ! Casse-toi ! »

Sur ces derniers cris, mon crâne éclate,
des milliers d'étoiles... avant le trou noir.
J'ai donc été enlevée. Sûrement droguée.
Peut-être violée. Mais non, pas violentée
puisque je n'ai pas de douleurs. Ne voulait-
il que voir mon corps nu ? Un sadique qui

ne me touche pas, ne me caresse pas. Il se contente de m'humilier, ce dingue ! Mais pourquoi ne me parle-t-il pas ? Un homme ? Une femme ? Il refuse tout contact avec moi. Aucune odeur, aucun parfum pour me guider...

Je n'ai rien bu depuis hier. Ou depuis cette nuit. Je ne sais plus où j'en suis du temps. Pourvu qu'il n'arrive rien à ce salaud ! Qui me découvrirait dans ce trou ? Je ne veux pas mourir abandonnée de tous.

24

Émilie Férain se tourna vers Pauline Mosnier qui se tenait un peu en retrait.

– Je suis désolée, mais personne ne semble vouloir ouvrir. D'ailleurs, j'ignore même si madame Bouhon se trouve actuellement chez elle. Pourtant, il m'avait semblé entendre du bruit quand je me suis approchée de la porte.

L'interprète recula sur le trottoir, tandis qu'Émilie frappait quelques coups brefs. Elle s'apprêtait à faire demi-tour quand elle vit Pauline Mosnier agiter les doigts en direction de la maison, s'adressant à une personne postée derrière une fenêtre.

– Qu'est-ce que vous lui dites ?

– Je lui demande si elle veut bien nous laisser entrer. Je me suis permis de lui indiquer votre profession.

L'occupante, curieuse, se contentait de scruter au-dehors, sans réaction apparente. Finalement, Louise Bouhon libéra la parole en des gestes ondulants. Une succession de mouvements légers, une harmonie de lignes sinueuses à la façon du balancement des joncs le long de berges. Une poésie de mots par le truchement de formes aériennes.

– Elle vous a répondu ?

– Je viens de l'informer que j'étais entendante et signante. Je pense qu'elle est en train de se replier sur elle-même. Je vous avais bien dit que certains malentendants avaient du mal à intégrer les parlants. Restez un peu en retrait ! Je vais tenter de m'approcher d'elle.

Émilie Férain apprécia peu de se voir refuser la direction des opérations. Mais elle devait s'y résoudre. Le seul langage des signes qu'elle maîtrisait n'était qu'un majeur indélicat dressé à l'endroit d'automobilistes qui usaient du klaxon de manière incongrue. Un langage trop universel et reconnu de tous.

L'interprète la rejoignit.

– Il y a un petit espoir.

Louise Bouhon avait quitté son poste d'observation.

– Je crois que je vais péter un câble, s'emporta Émilie.

Finalement, un visage se présenta dans l'entrebâillement de la porte. Une figure ridée comme une pomme reinette abandonnée sur l'arbre, un peu de rouge aux joues, des cheveux gris bien peignés.

Une « sorcière », avait rapporté un des ripeurs du groupe reprenant l'appréciation du voisinage pour décrire la malentendante. Quelle méchanceté !

Émilie Férain recula instinctivement lorsque Louise Bouhon se redressa. Deux bonnes têtes les séparaient en hauteur.

Le dialogue de gestes reprit entre Pauline et Louise. Un duo de marionnettistes adroits et animés de convictions, volubile, presque bavard. Leur gestuelle était appuyée par des regards intenses, par des jeux de lèvres. L'œil descendait sur la main. La main remontait au regard dans un tempo bien huilé.

– Demandez-lui si on peut se parler à l'intérieur !

– Elle n'y tient pas.

– Pourquoi ?

– Elle n'a pas confiance.

Émilie Férain souffla son mécontentement et présenta sa carte professionnelle. Le regard sembla douter de sa fonction. Il est vrai que la photographie sous film plastique ne la mettait pas spécialement en valeur. Mais quand même...

– Elle ne veut toujours pas nous laisser entrer, précisa Pauline. Je pense qu'elle a dû vivre quelques épisodes pénibles de voisinage. Il faut la comprendre...

Émilie fronça les sourcils.

– Non ! Rappelez-lui la découverte du corps dans le coffre de la voiture.

– Ensuite ?

– A-t-elle vu quelque chose ?

– Elle se souvient de personnes en combinaison, de beaucoup de monde. Des voitures avec gyrophares.

– Oui, ça je m'en doute, mais pour en revenir au véhicule qui contenait le corps, est-ce qu'il stationnait là depuis longtemps ?

– Elle confirme la présence de la voiture depuis plusieurs jours.

– En connaît-elle le propriétaire ? L'a-t-elle déjà vu ? Pourrait-elle le décrire ?

Pauline Mosnier leva les mains en signe de protestation.

– Je vous en prie. Une seule question à la fois. Comment voulez-vous… ?

Les gestes reprirent avec des signes totalement incompréhensibles du profane, parce que trop rapides, trop ressemblants.

– Elle n'a pas vu qui a garé la voiture. Et depuis, le véhicule n'a plus jamais bougé.

– Quelqu'un a ouvert le coffre, il y a quelques jours, pour y déposer un corps, vraisemblablement de nuit. Aurait-elle pu regarder dehors à ce moment-là ?

Émilie Férain nota un brusque changement d'attitude chez la malentendante qui

sembla soudain se refermer. Pauline tra-
duisit son émoi.

– Elle se bloque. Je n'arrive plus à communiquer. J'ai l'impression qu'elle a peur
de dire si elle a vu quelque chose ou
quelqu'un.

Émilie se dit qu'elle tenait là un témoin
capital qui risquait malheureusement de
retourner dans son univers, de s'enfermer dans un mutisme fâcheux pour son
enquête.

25

Fergeac finissait de lire le cahier retrouvé chez l'enseignant. Il apparaissait clairement qu'il appartenait à Jessica, et qu'elle en avait bien rédigé les textes.

Ce journal intime avait d'abord été confié aux techniciens de l'Identité judiciaire pour y relever toutes les traces papillaires susceptibles d'être comparées. Encore un gros travail en perspective pour Buteaux, Fontaine et Maligny. Si certaines pages avaient été effectivement arrachées, celle transmise directement à la Crim' ne provenait pas de ce cahier. Un élément à décharge peut-être pour Luc Vernoy ?

Le courrier avait été posté dans le Premier arrondissement. Lennon s'était attelé à analyser toutes les vidéos de cette rue. Pour l'instant, sans résultat.

Les feuilles chargées d'une écriture nerveuse et malhabile, à la forme libre et décomplexée, ne laissaient aucun doute sur la nature des sentiments éprouvés par Jessica pour son amie turque. Le prénom d'Açelya transpirait dans toutes les pages, au milieu de cœurs, de dessins touchants et simplistes ou sous forme d'acrostiches. Qu'en avait donc pensé l'enseignant ?

Le capitaine Féraud rappela Fergeac sur son portable.

– Je t'écoute.

– Toujours pas de lumière au domicile du prof. Il est déjà plus de vingt heures ! À mon avis, on ne le reverra pas de si tôt. Je vais planquer jusqu'au matin. Si je ne te réveille pas cette nuit, considère qu'on aura fait chou blanc. Tu trouveras les clés de la bagnole sur ton bureau, demain matin. Bon voyage chez les Boyaux Rouges. Au cas où tu l'ignorerais, c'est sous ce diminutif pas très flatteur qu'on surnomme certains habitants du Pas-de-Calais. Ne me demande pas ce qu'il faut entendre par là !

– J'en connais une qui va encore râler de ne pas te voir rentrer cette nuit.

– Justement ! Rends-moi service, car je sens que le doute s'installe.

Quentin et Pompon se rejoignirent dans un éclat de rire.

– Elle n'a pourtant aucune raison de s'inquiéter, rajouta Fergeac, provoquant un nouveau gloussement chez son adjoint. Ok, je l'appelle tout de suite. Ne vous laissez pas mourir de faim !

– Michel est parti nous chercher des casse-dalles. Ne te fais pas de souci pour nous. Salut !

Quentin composa le numéro de téléphone de madame Féraud. Sous prétexte de planques, son mari en profitait pour donner parfois quelques coups de canif au contrat conjugal. Un signe de bonne santé, selon lui. Une vérité qu'il avouait dans un grand éclat de rire.

– Laurence ? C'est Quentin. Je vais avoir besoin de ton homme toute la nuit. Il planque avec Solau. Il y a d'ailleurs passé une bonne partie de la journée. Je suis désolé.

Une voix douce lui répondit. Quentin Fergeac n'était-il pas la caution du groupe ? Il savait prendre sur lui la responsabilité de décisions difficiles dans l'intérêt du service, pour préserver la confiance de ses troupes. Il ne manquait jamais une occasion d'associer les épouses aux repas de fin d'enquête. Une façon de se faire pardonner par elles les trop nombreuses heures passées en dehors de la cellule familiale. À l'occasion, il pouvait même glisser quelques alibis de circonstance. N'est-ce pas, Pompon ? La nature humaine n'a-t-elle pas ses faiblesses ?

– Il m'avait prévenue, mais je te remercie de m'en aviser également. Tant pis pour notre sortie cinéma !

– Pour quel film ?

– Je ne sais même pas. C'était juste un prétexte pour changer d'air. J'aurais mieux fait d'épouser un employé de bureau.

– Ne vous plaignez pas ! Les flics sont les meilleurs maris de la terre.

– Je suis impatiente d'en avoir la preuve et d'en connaître la raison, ironisa-t-elle en gloussant.

– Parce qu'ils ont besoin de stabilité et quand ils l'ont trouvée, rien au monde ne les ferait changer de cap.

– C'est gentil ce que tu racontes là. Vous devriez nous le dire plus souvent. À ce propos, comment va Ellen ?

– Ça va… !

– Il faut que je te laisse. J'entends les enfants qui se chamaillent. Merci de m'avoir appelée.

Quentin s'adossa à sa chaise, jambes tendues, les mains derrière la tête. Les yeux au plafond ne fixaient rien de précis. La phrase de Laurence au sujet de ses enfants avait réveillé de mauvais souvenirs. Yann était toujours présent. Déjà quatre ans. Il se laissa envahir...

« Maudit jeu que ce jeu du foulard ! »

Un jeu simple, pratiqué à deux bien souvent, pour commencer. La compression des carotides jusqu'à privation d'oxygène déclenchait l'extase lumineuse du premier envol. Des images hallucinatoires, des milliers d'étoiles, un premier shoot irréel indéfinissable, comme éthéré. Des sensations fugaces qui entraînaient une montée en puissance impérieuse. Toujours serrer plus fort, toujours flirter avec le point de non-retour sans jamais retrouver l'explosion de la première expérience.

Que serait-il advenu de Quentin si Ellen, si l'amitié du groupe… ?

26

Quentin et Solau venaient de quitter l'autoroute sous une pluie battante pour s'engager sur la Nationale 17, en direction de Lens.

Quelques terrils avaient bien tenté de leur souhaiter la bienvenue, mais un voile de dentelle humide les avait renvoyés à leur isolement.

Rue Delluc, la façade en granit de l'Hôtel de police refléta leurs visages fatigués. Kazmarek, le responsable, les attendait.

– C'est toi qui m'as téléphoné, hier ?

Quentin secoua la tête.

– Tu ne pouvais pas te contenter d'une vérif ? J'aurais pu m'en charger.

– Non. Je compte ramener Vernoy si on le trouve ici.

– On ne connaît pas ce loustic. Rien au fichier.

– Tu as prévu mon assistance ?

– Tiens ! Le voilà qui arrive. Je te présente Pierrot. On se retrouvera ce midi pour grignoter un petit morceau ensemble.

Ledit Pierrot salua de la tête. Un flic tout en rondeur, figure poupine, ventre rebondi, cuisses en goutte d'huile.

– Je vous montre un peu la ville, les gars ?

– Peut-être une autre fois, dans d'autres circonstances, coupa un Fergeac impatient. Conduis-nous chez Vernoy !

– C'est dommage ! Le Nord souffre d'une image tronquée. La ville n'est pas qu'un alignement de corons peuplés d'un ramassis de soiffards. Tant pis !

– Te vexe pas !

Quelques instants plus tard, les Parisiens empruntaient l'avenue principale devant des panneaux indiquant la direction du musée du Louvre-Lens ainsi que celle du stade Bollaert. Deux institutions dans la ville. Pierrot devenait plus prolixe lorsqu'il faisait référence au stade de football.

– Gare-toi là, dit-il en tapotant l'épaule de Solau. On va finir à pied.

D'immenses parkings ceinturaient le stade. Tous étrangement vides.

– Venez un soir de match ! commenta Pierrot, et vous verrez comme ils sont remplis.

Les deux visiteurs levèrent les yeux vers la structure en pleine reconstruction.

– Vous l'agrandissez encore ? s'informa Solau.

– Oh toi, tu n'es pas footeux, sinon tu saurais que notre stade est parfois retenu pour des matches internationaux.

Quentin et Solau échangèrent un clin d'œil complice accompagné d'un petit sourire. Le Paris-Saint-Germain n'était-il pas leur club favori ? Croiser le fer avec le Lensois ? Ils décidèrent tacitement de remettre à plus tard le plaisir de joutes verbales.

Pierrot les précédait d'un bon pas. Ils le virent se signer rapidement et discrètement en passant devant une plaque qui portait le nom d'un footballeur, Marc-Vivien Foé.

Le Lensois se retourna.

– Un de nos joueurs. Il est mort au cours d'un match, d'un accident cardiaque.

Une allée pentue entre deux rives arborées les mena à un coron aux façades réhabilitées par un crépi bicolore du plus bel effet. Un décor pour touristes ? Une nouvelle image de marque pour la ville ?

Pierrot prit la parole.

– Tu vois, les maisons se ressemblent toutes. Mate un peu celle où pendent des jardinières. Ton mec y habite. Qu'est-ce qu'on fait ?

Un parking s'étalait sur la gauche, un peu en hauteur, dans l'axe direct de la maison. Idéal pour planquer. Mais que de temps perdu.

– On récupère la voiture et on tape, ordonna Fergeac, impatient.

Une dizaine de minutes plus tard, les trois hommes se garaient à l'aplomb des géraniums qui garnissaient les fenêtres.

Personne ne répondit aux différents coups de sonnette. Un voisin intrigué passa la tête par une fenêtre.

– Vous cherchez quelqu'un ?

– Nous sommes des collègues de Luc. Il nous avait invités à lui rendre visite si nous passions dans la région. Je crains malheureusement qu'il ne soit sorti. J'aurais dû lui téléphoner avant.

Un certain scepticisme s'afficha sur le visage de son interlocuteur.

– Il enseigne à Paris.

– Je sais, mais c'est les vacances de Pâques actuellement dans notre académie, et comme il est absent de son domicile parisien, je pensais qu'il était revenu en famille.

– Je ne crois pas, mais demandez donc à sa femme !

– Et comment fait-on puisque personne ne nous ouvre ?

– Ben, c'est normal. Elle est au boulot. Allez donc voir au musée ! Elle y travaille comme vigile.

Décidément, rien n'allait comme il le souhaitait. Vernoy était absent, son épouse au travail, et un voisin guettait les moindres allées et venues alentour. Pour un effet de surprise, c'était réussi !

– Vous pouvez vous y rendre à pied, ajouta l'homme. C'est à deux pas.

Les bâtiments du musée couraient sur une esplanade en béton dont quelques espaces de gazon tentaient d'atténuer la froideur. Dans le hall d'accueil, au portique de détection, leur Sig Sauer risquait d'affoler le gardien. Par chance, Pierrot semblait le connaître. De toute évidence, un supporter des Sang et Or, dont le logo fleurissait les banderoles du stade.

– On va contourner le détecteur.

Quentin en profita pour lorgner sur la salle principale, la fameuse galerie du Temps. Une profondeur ouatée, un espace dématérialisé aux limites floues, aux lignes incertaines. Un nuage vaporeux. Un espace de lumière argentée.

– Je reviendrai ici avec Ellen.

Pierrot l'attendait avec Solau devant le bureau du directeur. François Régnard venait d'apprendre leurs fonctions et l'objet de leur visite. C'est donc avec une certaine appréhension qu'il accueillit Quentin.

– Vous appartenez, me dit-on, à une brigade criminelle parisienne ?

– Que cela ne vous effraie pas.

– Vous souhaitez interroger madame Vernoy. Votre enquête porte-t-elle sur des vols d'œuvres d'art ?

Fergeac le rassura. Apparemment sans y parvenir. Une suspicion s'était définitivement installée chez son hôte.

Dans un bureau contigu, on fit venir madame Vernoy. Les cloisons vitrées, transparentes, ne leur apporteraient pas la confidentialité voulue, mais il s'agissait d'une simple prise de contact.

Vêtue d'une robe grise, une tenue de travail neutre, elle se présenta, le regard inquiet.

– Bonjour, madame Vernoy, asseyez-vous. J'ai besoin de voir votre mari. Comme il n'était pas chez vous, on est venu sur votre lieu de travail.

Elle s'exécuta et posa ses mains sur le haut de ses cuisses, dans une attitude qu'on lui demandait sans doute d'adopter en salle d'exposition. Son menton et ses épaules tremblaient légèrement.

– Pour quelle raison ?

– J'ai besoin de procéder à une petite vérification dans le cadre d'une enquête, une explication que lui seul peut me donner.

Toujours interloquée mais rassurée sur son propre sort, Florence Vernoy s'étonna auprès du policier.

– Mais il travaille à Paris. Vous ne le saviez pas ?

– Ce sont les vacances scolaires.

– Oui, et alors ?

– J'ai pensé qu'il était revenu dans sa famille puisque je n'ai pas réussi à le joindre là-bas.

Elle haussa les sourcils et fit rouler son alliance entre ses doigts.

– Mais il n'est pas ici. Son établissement le retient à Paris pour finaliser un projet pédagogique. Il m'a téléphoné pour m'en avertir. Il en a au moins pour une semaine, m'a-t-il précisé.

– Quand vous a-t-il prévenue de cet empêchement ?

– La veille des vacances.

– C'est le seul coup de fil qu'il vous ait passé ?

– Non. Il m'appelle presque tous les jours. En fait, surtout le soir.

– Et qu'est-ce qu'il vous dit ?

Florence Vernoy laissa retomber sa main sur sa cuisse.

– On parle de tout et de rien. Une banale conversation de couple. Qu'est-ce qu'il a fait ?

Fergeac mordilla sa lèvre. Cette habitude devenait un vrai tic.

– Une de ses élèves a disparu. Peut-être une fugue, tout simplement. Je pensais qu'il pourrait nous aider à la retrouver.

Le regard de son interlocutrice se durcit.

– Et vous êtes venus à trois pour une simple fugue ? De quoi l'accuse-t-on au juste ? Vous allez me le dire, enfin ?

Fergeac se leva pour quitter la pièce, imité dans son geste par Solau et le Lensois.

– Pour l'instant, on va finir cette conversation chez vous. Ce serait marrant qu'on y trouve votre mari !

27

Le voisin pointa une nouvelle fois son nez à la fenêtre à l'arrivée des policiers. Malgré leurs efforts pour donner le change, le visage contrarié de madame Vernoy démontra qu'ils ne pouvaient guère passer pour de vieux amis de la famille.

– Ça va bien, Florence ? s'informa-t-il.

Un hochement de tête répondit à sa question tandis qu'elle glissait la clé dans la serrure. Solau l'écarta doucement et la précéda dans le couloir pour se rendre rapidement dans la pièce qui se présentait sur sa droite.

– Ne vous gênez pas ! lui cria-t-elle. Faites comme chez vous !

Fergeac tenta de lui expliquer le pourquoi de ces précautions, question de sécurité.

Solau grimpa rapidement les escaliers, entraînant une nouvelle réprobation de la part de Florence Vernoy. Quentin l'invita à pénétrer dans le salon d'une légère poussée dans le dos. N'ayant trouvé personne à l'étage, le policier poursuivit ses recherches :

– Vous avez une cave, ici ?

– Là-bas. La porte du fond.

Il disparut à nouveau, pour revenir un peu plus tard en affichant toujours la même moue négative.

Un jardinet déroulait ses plates-bandes sur l'arrière du salon. Un cabanon y était implanté. Sans doute une remise pour outils.

– Va y jeter un coup d'œil !

– Mais qu'est-ce que vous cherchez au juste ? glapit Florence Vernoy. Vous croyez peut-être y trouver mon mari ? Quand allez-vous finir par me croire ?

Quentin s'empara d'une photographie posée près d'une lampe de mineur au cuivre luisant.

– Votre époux ?

– Parce que vous pensez que j'afficherais celle de mon amant ?

Décidément, la dame Vernoy reprenait du mordant. Il enregistra la photo sur son téléphone portable.

– À ce propos, comment va votre couple ?

Florence Vernoy demeura un instant interdite.

– Ça ne vous suffit pas de fouiller ma maison ? En quoi notre vie intime vous concernerait-elle ?

– Je m'étonne simplement que votre mari n'ait pas éprouvé le besoin de venir se ressourcer dans sa cellule familiale, pour profiter de ses vacances.

– Je vous ai déjà dit qu'il était retenu par un projet pédagogique.

– Et vous en connaissez beaucoup, vous, des profs qui travaillent comme ça pendant les vacances scolaires ? Je vous signale que son collège est aussi vide que votre rue, un soir de match. Vous commencez sérieusement à me fatiguer avec vos réflexions.

– Et vous aussi, avec vos suppositions.

– Oh ! Baissez d'un ton ! C'est votre mari qui m'intéresse. Pas vous. Une adolescente a été retrouvée assassinée. Elle était plus ou moins en fugue avec une de ses copines, une élève de votre mari. Or il se trouve que cette ado a eu une grave altercation avec lui, le dernier jour d'école. Un échange verbal plutôt cru. Votre conjoint l'aurait menacée de représailles, et depuis nous n'avons plus de nouvelles de cette fille.

Madame Vernoy se tassa dans son fauteuil, en entendant Fergeac énoncer les suspicions auxquelles s'exposait son mari. Elle le fixait sans pouvoir se détacher de son récit, incrédule et inquiète.

– Plus de nouvelles de cette gamine, mais aussi plus de nouvelles de monsieur Vernoy. Nous avons vérifié. Son projet pédagogique ? Tu parles ! Il devient surtout un suspect possible. Vous avez compris maintenant pourquoi j'ai besoin de procéder à quelques vérifications ? A-t-il quelque chose à voir dans cette disparition ? Se cache-t-il ? Reconnaissez que son mensonge tombe mal. Au fait, il a toujours enseigné à Paris ?

– Non. Il était au Lycée Condorcet, ici à Lens.

– On l'a muté ?

– Non. Luc a sollicité son affectation en région parisienne.

– Pourquoi ? Il n'était pas bien par ici ?

– C'était pour obtenir plus rapidement des points en vue d'un avancement. On voulait bouger par la suite.

– C'est ce qu'il vous a dit ?

– C'était son choix.

– Peut-être pour prendre un peu de distance avec vous ?

– Je vois bien à quoi vous pensez !

– Vous avez des enfants ?

– Non. Je me suis retrouvée seule. J'ai eu la chance d'occuper cet emploi au musée. Mais c'est un travail qui me contraint à des heures de présence le week-end.

– Et ça convenait à votre mari, ça ?

– C'est notre problème. Pas le vôtre.

– Et son travail. Il vous en parlait ? Des problèmes en classe ?

– Ses relations avec les élèves sont bonnes. Luc n'est pas un violent. Il n'est pas dans sa nature de s'en prendre aux élèves. Là, vous faites fausse route.

– C'est ce qu'on va vérifier. Vous allez me communiquer vos coordonnées téléphoniques et les siennes. Je sais que je ne pourrai pas vous empêcher de lui faire part de notre visite et de notre conversation, mais je vous préviens : il aurait intérêt à ne pas tarder à se rendre à notre service.

Florence Vernoy s'extirpa du fauteuil en maugréant quelques mots à voix basse. Quentin l'invita à se rasseoir.

– On va recueillir votre déposition avant de vous reconduire au musée.

– Ce ne sera pas nécessaire, répondit-elle. Vous avez déjà fait assez de dégâts comme cela.

À aucun moment de l'audition, Pierrot le Lensois n'était intervenu, trouvant un peu durs ces Parisiens !

28

Jessica croyait s'escrimer en vain à user le collier de plastique qui retenait ses mains en le faisant coulisser le long du montant du lit. Le frottement mécanique avait brûlé la chair de son poignet, en accentuant la douleur. Elle n'avait pas ralenti la cadence de ses mouvements.

Le raclement lancinant du lien contre le montant du lit rythmait les mouvements du bras, mêlant dans un même râle geignements et efforts.

Le plastique qui avait brûlé ses chairs s'amollit et finit par se détendre. Jessica tira de toutes ses forces jusqu'à ce que l'attache s'assouplisse et s'allonge comme un chewing-gum pour finir par se rompre. Son bras rejoignit le matelas.

Elle ferma les yeux et respira à pleins poumons. Des larmes lui vinrent aussitôt, qu'elle ne put retenir. Des larmes de vie, des scintillements d'espoir dans le noir.

Des nuées de fourmis avaient anesthésié les muscles de son bras. Sa main libre reprit contact avec toutes les parties de son corps, pour en confirmer la présence, pour en éprouver la force.

Vivante. Elle reprenait vie. Le bourreau ne l'avait pas détruite.

29

Michel Solau profita de son retour au commissariat de Lens pour envoyer ses réquisitions téléphoniques aux services concernés. Fergeac se préoccupa de demander la délivrance d'une commission rogatoire spéciale auprès du juge d'instruction Bonnevey, avec autorisation de procéder à la mise en place d'écoutes téléphoniques. Elles visaient les communications du couple. Le magistrat donna son accord. Si les Vernoy échangeaient régulièrement comme l'avait affirmé la gardienne de musée, la réaction et la localisation du mari pourraient s'avérer riches d'enseignements.

Fergeac rendit aussi compte au commissaire Louvel.

– Alors ?

– Ça n'a pas apporté grand-chose. J'ai juste parlé avec sa femme. Elle ne l'a pas vu. Vernoy lui a monté un bateau.

– On pose des zonzons.

– C'est fait. Bonnevey vient de me communiquer la CR. Solau a réglé le problème avec le groupe.

– Bon. Vous rentrez ?

– On mange un petit morceau et on arrive.

Kazmarek se pointa à l'entrée du bureau.

– Je vous embarque tous les deux. On va à l'annexe, à deux pas d'ici. Tu verras, le patron est à la botte.

Le restaurant « Au petit galibot » n'était effectivement qu'à cinq minutes du commissariat. Quentin leva la tête et admira la façade étroite en briques rouges d'architecture flamande.

De la brique, toujours de la brique, comme partout ici !

Kazmarek poussa la porte, suivi de Solau et de Quentin. Une odeur de cire et de vieux bois. Des suspensions multiples apportaient un éclairage jaunâtre à la salle étroite et rectangulaire, aux murs gorgés d'huile de lin.

– Attention à la marche !

Quentin baissa les yeux sur un sol aux carreaux de terre cuite rouge. Un homme de petite taille, au front dégarni et à la mâchoire prognathe, se planta devant eux.

– Je te présente Fernand, le patron, annonça fièrement Kazmarek. J'amène des invités, des Parisiens. Sois à la hauteur !

– Tu en douterais ? Une table pour trois ?

– Pierrot va nous rejoindre avec Tilou et Nanard.

– Alors, prenez la salle du haut. Vous y serez plus tranquilles.

À l'étage, une table monumentale trônait près des fenêtres et faisait face à une cheminée murale sous le manteau de laquelle deux fauteuils se faisaient la causette. Quentin passa ses doigts sur le dessus de la table. De profondes alvéoles avaient été creusées dans le bois pour l'emplacement des assiettes. Une plus grande au milieu de la table, pour le plat unique.

Des éclats de voix leur parvinrent de l'escalier. Pierrot venait les rejoindre avec ses deux collègues.

Fernand s'approcha, dissimulé derrière un tableau noir avec quelques mots écrits à la craie : *Aujourd'hui, andoule queute*, suivis du début d'une chanson populaire : *si t'aro vnu, t'aro mingé d'landoule ?*

Le restaurateur s'adressa à Quentin et Solau.

– Vous aimez l'andouille ? Je ne vous parle pas de Tilou ou de Nanard, bien sûr.

Quentin acquiesça d'un signe de tête, au milieu des rires faciles.

– Alors, vous allez être servis !

Les Parisiens auraient donc droit à leur andouille, à de nombreux morceaux d'andouille chaude sur un lit de chou cuit, accompagné de pommes de terre, de carottes et de haricots blancs auxquels une vinaigrette aux herbes apportait sa touche d'acidité.

Bruits de fourchettes, rires, conversations animées, sujets variés. Une qualité d'accueil jamais démentie pour les flics en mission. Une ambiance que Quentin au « 36 » n'aurait pas reniée !

Fergeac et Solau durent sacrifier en fin de repas à la traditionnelle danse du supporter, bras dessus, bras dessous façon sirtaki, sautant des deux pieds mais cette fois à la manière des Dogons. Chanter sans retenue le *Qui ne saute pas n'est pas Lensois* pouvait passer pour une trahison aux yeux de ces inconditionnels du PSG.

La chanson de Bachelet, *Au Nord, c'étaient les corons*, relayée par plusieurs voix à l'unisson, les accompagna à leur sortie du restaurant. Pierrot tendit un sac à Fergeac.

– Emporte ce petit souvenir et si tu reviens serrer ton enseignant, évite de nous rapporter l'équivalent.

Quentin libéra de leur emballage deux maillots aux couleurs « Sang et Or » ainsi que deux écharpes associant le nom des deux clubs, floquées à l'occasion d'une rencontre de Coupe de France.

30

La pluie s'était de nouveau invitée, et l'autoroute dévidait son interminable ruban de bitume sous des trombes d'eau. Pour une fois, les habituels embouteillages à l'approche de la capitale n'entamèrent pas le moral de Quentin. Gyrophare éteint entre ses pieds, il laissait libre cours à ses pensées. Il lui tardait de retrouver son groupe après s'être fourvoyé avec les Lensois. Paris demeurait magique. À lui de s'en montrer digne. Et pour cela, il convenait à son équipe de résoudre au plus vite cette enquête qui piétinait.

Quelques jours après la première comparution, le juge d'instruction Bonnevey avait procédé à l'interrogatoire proprement dit des suspects. Le tête-à-tête s'était soldé par un nouvel échec. Vlaminck s'était une fois de plus retranché derrière ses dénégations. Et le magistrat doutait de la réelle implication de maître Peyrefort dans l'affaire. Hormis ses pratiques inavouables dans les cimetières, rien ne le reliait directement aux faits criminels. Les enquêteurs allaient devoir vérifier les emplois du temps des deux suspects avec d'autant plus de difficulté que le moment de la mort de la jeune Açelya n'avait encore pu être défini avec exactitude.

Dans les bureaux, Quentin ne trouva que Lennon. Les affaires judiciaires récupérées au gré des différentes permanences occupaient au dehors le reste du groupe.

– Ah, tu tombes bien, dit-il en s'adressant à son chef. Merci du cadeau !

Fergeac s'étonna de la remarque, d'un mouvement des lèvres.

– Tu es déjà au courant pour les maillots ?

– De quoi me parles-tu ?

– Du cadeau empoisonné que nous ont fait les collègues lensois.

Fred marqua son incompréhension en clignant les yeux.

– Je te parle de la photo du prof. Celle que tu m'as envoyée sur mon portable. Pas de bol. À une journée près !

– Qu'est-ce que tu veux dire ?

– J'avais fini de visionner, pendant ton absence, la vidéo qui donne sur la boîte aux lettres. Je te parle de celle où notre inconnu avait posté son petit mot. Plus d'une centaine de personnes jusqu'à la relève du courrier. Je ne te dis pas le travail ! Je dois tout recommencer. Je m'y tenais quand je t'ai entendu arriver.

– Tu ne veux pas que je te plaigne aussi, répondit Quentin. Tu avais peut-être bossé pour rien mais notre écrivain, enfin l'auteur de la lettre, se trouve parmi elles. À moins qu'il ne soit passé par un intermédiaire. C'est ce que j'aurais fait à sa place.

– Sauf que tu n'es pas un tueur. Et que tu raisonnes trop.

– Ce petit mot, en tout cas, permet de confirmer deux hypothèses : l'Indien est l'auteur du crime, mais il est en taule au moment du dépôt de la lettre. Il a donc un complice. Ou alors, il n'a rien à voir dans cette histoire. La dépose du cadavre dans le coffre du véhicule de Mallet relèverait d'un pur hasard, ou d'une vraie logique dans le cas d'une voiture paraissant abandonnée.

– Et si le tueur habitait le quartier ou les environs immédiats ? suggéra Lennon.

– Un peu gonflé, non ?

– Une chose au moins est sûre, notre Géronimo n'a pas posté le courrier.

– Ce que nous fera justement remarquer le juge d'instruction, rajouta Fergeac. Je ne serais pas étonné qu'il remette l'avocat Peyrefort en liberté sous contrôle judiciaire. Pour ce qui est de Vlaminck, c'est un peu plus délicat. La présence de son cheveu sur le corps d'Açelya ne plaide pas en sa faveur. Que donnent les écoutes ?

– Rien pour l'instant si ce n'est que la femme de Vernoy a tenté de l'appeler à plusieurs reprises, mais il n'a pas décroché.

– Son portable est peut-être éteint.

– En tout cas, le bornage n'a rien donné. Solau suit ça de près. Ah, au fait, Maligny a tenté de te joindre !

– Et ?

– Ça concerne les draps que tu avais fait saisir au *Première Classe*. Aucune trace de sperme.

– Ce qui exclut de manière définitive la présence au lit de Badou Faye.

– Seulement des sécrétions vaginales. Je crois qu'il nous a vraiment dit la vérité.

– Où est le reste de l'équipe ?

– Féraud et Rieulay bossent sur une affaire de permanence. Férain est partie retrouver l'interprète avec la photo du prof. Elle voudrait la présenter à la sourde du cimetière.

– Bonne initiative, admit Quentin. Finalement, je me demande à quoi je sers.

– Figure-toi qu'on se pose tous la question depuis pas mal de temps, enchaîna Lennon dans un éclat de rire auquel Fergeac fit écho sans réserve.

31

Émilie Férain était passée prendre l'interprète chez elle. Les deux femmes devisaient plus naturellement. La conversation porta sur son engagement professionnel. Cette question brûlait souvent les lèvres de ceux qui approchaient le milieu policier, *a fortiori* une jeune policière.

– Qu'est-ce qui vous a attirée dans ce métier ?

– Votre interrogation ne m'étonne pas, dit Émilie en détournant la tête un court instant de la route. J'ai bien envie de vous retourner la question. Qu'est-ce qui vous a aussi motivée ?

Un sourire entendu s'afficha sur les traits de sa voisine. On ne voulait pas se dévoiler ?

– La volonté, sans doute, de ne laisser personne sur la route. Je me suis aperçue, reprit l'interprète, que des gens passaient totalement à côté de mes explications lorsque j'animais des visites guidées. Certains s'écartaient du groupe, ne se sentant plus concernés par ce que je disais.

D'autres, au contraire, ne quittaient pas mes lèvres du regard. J'ai compris alors que les malentendants devaient souffrir dans leur coin sans oser l'avouer. Peu à peu, j'ai ressenti le besoin de leur venir en aide, et j'ai donc suivi une formation de signant. Si vous saviez à quel point je me sens confortée dans mon choix lorsque je capte dans leur regard des signes, si l'on peut dire, de reconnaissance. Finalement, je suis devenue interprète officielle, agréée par les tribunaux.

Pauline Mosnier affichait maintenant une complicité apaisée. À leur arrivée avenue des Champs-Galottes, un rideau se rabaissa lorsque leur voiture se gara devant le domicile de Louise Bouhon.

– Toujours à sa fenêtre, fit remarquer Émilie à haute voix.

Cette fois, Louise ouvrit la porte sans hésiter, et elle s'effaça pour les laisser entrer. Émilie lui offrit un sourire de politesse auquel son hôtesse répondit. L'interprète engagea l'échange.

– Venez dans l'autre pièce et asseyons-nous, proposa la traductrice. Elle souhaite nous offrir du café. C'est plutôt bon signe, si l'on peut encore dire, non ?

Émilie se rangea à son avis. Ses yeux parcouraient la pièce, s'arrêtant sur chaque détail. Maudit réflexe policier ! Toujours en éveil. Toujours en analyse. À la recherche de la moindre anomalie.

Le mobilier datait, parfait représentant d'une époque et d'un milieu. Noircis de cire, une salle à manger Henri II et son buffet typique trois portes en noyer sculpté, son décor vénitien, une corniche ornée d'assiettes anciennes, un confiturier en chêne massif, une bonnetière, une table ronde sur pieds tournés, recouverte d'une fine dentelle. Sur les murs, plusieurs portraits en noir et blanc affichaient des visages sévères et sérieux, à l'image d'une génération confrontée aux difficultés.

Plusieurs animaux naturalisés : renard, la gueule ouverte, les dents prêtes à mordre, blaireau, belette, fouine, tous figés dans une attitude agressive. Pourquoi cette expression tacite de la violence ?

Inquiétant !

Émilie nota la présence de deux portes contigües, permettant de toute évidence d'accéder à une cave et à l'étage.

Pauline Mosnier reposa sa tasse et se tourna vers la policière.

– Vous vouliez lui montrer une photo ?

Émilie sortit d'une sacoche un cliché qui y côtoyait son arme de service. Devant son regard interrogatif, la traductrice répondit par des gestes.

– Je lui ai demandé si elle avait remarqué cette personne autour de la voiture, avant qu'on y découvre le corps.

– Qu'est-ce qu'elle vous a répondu ?

– Qu'elle n'avait jamais vu cet homme.

– Rappelez-lui sa réserve lorsqu'on avait évoqué avec elle, lors de notre première rencontre, la présence ou non d'un individu suspect, près de cette voiture. Elle nous avait paru bien circonspecte.

Le dialogue reprit, plus saccadé, plus intense.

– Qu'est-ce qu'elle vous dit ?

– Je la sens sur la défensive. Elle me demande si nous avons arrêté le tueur.

Émilie Férain se mordit l'ongle du pouce. Quelle attitude adopter ?

– Informez-la de l'arrestation de deux hommes et de leur mise en détention.

Curieuse, la policière tenta de deviner les signes figurant l'interpellation et la maison d'arrêt. En vain. Elle se sentait bien étrangère entre Pauline et Louise qui semblaient bien « s'entendre » et rivalisaient d'ardeur dans cette conversation animée, le regard suspendu à la réponse de l'autre pour répliquer aussitôt en une symphonie de gestes, une synchronisation parfaite entre les deux acteurs.

– Elle demande si la photo correspond à l'un d'eux.

– Répondez-lui par la négative.

– Elle s'étonne de cette présentation.

– Donnez-lui en la raison. Je crains d'avoir fait mettre en prison deux personnes peut-être étrangères à ce crime. C'est pourquoi tout ce qu'elle souhaiterait nous dire pourrait se révéler crucial.

Louise Bouhon s'enferma un court instant dans un mutisme total, mais il était visible qu'elle réfléchissait sur la position à adopter. Les deux femmes respectaient son silence, ses réflexions et peut-être son cas de conscience.

Puis Pauline signa et se leva en expliquant :

– Elle nous demande de la suivre dehors. Je crois qu'elle veut nous montrer quelque chose de très important.

32

Jessica allait renoncer. Ce salaud, ce fou avait décidé d'en finir avec elle. Elle allait mourir. Elle avait compris que le bain avait servi à nettoyer toute trace pour que la police ne puisse remonter jusqu'à son assassin. Quitte à crever ici, autant tout tenter ! Dans l'impossibilité de faire coulisser le lien cranté, il lui fallait trouver autre chose. Elle glissa sa main en aveugle sous le matelas, le long de la structure métallique du lit. Ses doigts butèrent sur des crochets en forme de « S ». Des tendeurs maintenaient la rigidité du sommier. Elle s'escrima pour tenter d'en arracher un. Ses forces l'abandonnaient, mais pas son mental.

Sa main s'obstinait à se frotter à ces éléments métalliques. Elle sentit l'un d'eux qui se balançait et pendait dans le vide, seulement maintenu par une boucle dans un œilleton. Jessica respira profondément, trop excitée par sa découverte. Ne pas précipiter les choses. Ne pas laisser tomber le crochet.

Un espoir fou. Sortir de là pour se venger. Faire subir à ce malade ce qu'elle avait enduré. Lui arracher les yeux..., l'écouter suffoquer..., l'entendre supplier...

Les doigts ne tremblaient plus. La prise était ferme. Suivre la sinuosité de la boucle. Remonter. Sentir l'acier fin sur sa joue. Le reconnaître. Le mouiller de ses larmes de joie, d'espérance.

Jessica approcha l'extrémité de la boucle de son autre main et entreprit d'attaquer la languette qui la maintenait.

Lentement, mais régulièrement.

Malgré la douleur et l'angoisse, appliquée, elle retrouvait à chaque fois le sillon creusé dans le plastique. Chaque passage approfondissait un peu plus la fissure. Et puis, son bras rejoignit le matelas.

Elle porta machinalement le crochet à sa bouche. Pas question de le perdre dans le noir. Incapable dans un premier temps de bouger ses bras engourdis, elle demeura allongée sur le dos, immobile. Combien de minutes, combien d'heures seraient encore nécessaires pour libérer maintenant ses chevilles ? Le temps pressait. Son bourreau pouvait survenir à tout instant.

Elle se redressa dans un cri de douleur et avança les bras vers ses pieds. Mais ses mains ne pouvaient les atteindre ; elle était incapable aussi de plier les genoux.

Elle tenta un mouvement en se tournant sur le côté, comptant sur une position repliée pour favoriser le rapprochement. Les lanières lui cinglèrent les chairs lorsqu'elle se retourna, mais sa main parvint à s'enrouler autour de sa cheville. Elle recommença son travail d'usure.

La courbure du crochet n'était plus assez efficace. Il fallait en aplatir la surface pour obtenir un tranchant en limant le fer contre le fer, à la manière d'une lame aiguisée sur une meule. Jessica entreprit un long va-et-vient sur le montant du lit. Elle éprouvait régulièrement l'épaisseur du métal en passant le doigt sur l'arête. L'acier chauffait, et se dentelait.

Elle réussit à glisser la fine tige entre sa chair et le lacet de plastique. Le lien ne résista pas très longtemps. Le pied droit se libéra. Puis le gauche suivit.

Son cœur s'emballa, mais ses jambes risquaient de ne plus pouvoir la porter. Elle s'aida d'une main sur le montant du lit pour se maintenir péniblement debout. Sa tête tournait et elle perdit l'équilibre. Comment espérer s'enfuir dans de telles conditions ? Même dans cet état d'affaiblissement, il lui fallait explorer les lieux et trouver un moyen de s'en sortir.

33

– Quentin ! Décroche ! Je te passe Émilie.

– Ouais ?

– Le pied ! Tu ne devineras jamais.

– Elle a vu notre homme, notre Louise Bouhon ?

– Oui. Mais pas celui auquel on pensait.

– Explique !

– Pour le prof, c'est râpé. Elle ne l'a jamais vu. Je pense d'ailleurs depuis le début qu'on fait fausse route avec lui. Je ne le vois pas tuer deux gamines, d'autant qu'elles ne sont pas du même bahut.

– Abrège !

La réplique cingla. Pas besoin de lui faire l'article.

– En fait, il était deux heures du mat'. Notre espionne en pantoufles était descendue traîner dans sa salle à manger parce qu'elle ne parvenait pas à dormir. Et comme à son habitude, elle était venue se coller à la vitre. De là, elle a vu un type refermer le coffre de la Ford et se diriger tout droit vers les sapins qui entourent l'angle du cimetière.

– Elle peut t'en donner une description ?

– Je vais voir ce qu'on peut en tirer.

– Et elle est certaine qu'il ne s'agit pas de notre prof ?

– Là-dessus, aucun doute.

Fergeac afficha une moue de désappointement.

– Certes, c'est une bonne information qui permet de fermer une porte, mais il n'y a pas de quoi en faire un plat.

– De ce qu'il a craché par terre, non, car ce n'est pas très ragoûtant.

– Ne joue pas avec mes nerfs !

– L'inconnu s'est dirigé vers les arbres, puis il s'est appuyé d'une main contre un tronc où il a vomi ses boyaux. Tu saisis ce que ça veut dire ? Je suis devant les restes de son repas du soir. Je comprends qu'il ait eu du mal à digérer. Et qui dit vomi dit...

– ADN possible ! Putain ! On le tient. Je t'envoie tout de suite l'IJ sur place.

– Et pourquoi penses-tu que je t'appelle ?

– Elle se souvient de la date ?

– Par rapport à un anniversaire, oui. Dans la nuit du 16 avril. C'était le jour de la saint Benoît-Joseph. Le prénom de son père.

– C'est du bon boulot, Émilie. Ton obstination a payé à vouloir faire parler ta muette. Ouais. C'est du bon boulot !

– Et la cerise sur le gâteau, c'est qu'il est reparti seul, au volant d'une tire.

– Quelle marque ?

– Et tu ne voudrais pas aussi son numéro ? Notre témoin est du siècle dernier, alors question bagnoles... Demande à Maligny ou à Fontaine d'apporter des catalogues !

Fergeac transmit l'information au service de l'Identité judiciaire, puis il partit retrouver son procédurier dans le bureau contigu. Rieulay détourna les yeux du dossier étalé devant lui et le regarda avec étonnement.

– On dirait un gosse qui vient de découvrir son cadeau de Noël au pied du sapin.

– Figure-toi qu'il y a un peu de ça.

Paluches secouait la tête à mesure que les explications tombaient.

– Je vais peut-être tempérer ton enthousiasme, mais suppose qu'on ait simplement affaire à un curieux, ou pourquoi pas à un roulottier. Ce genre de mec qui passe toutes les voitures d'une rue au peigne fin en appuyant sur toutes les serrures, histoire d'en trouver une qui serait mal fermée.

– Un voleur qui laisse sa voiture à côté de la Ford, comme par hasard ? Je n'y crois pas un seul instant, affirma Quentin, sûr de lui. Un curieux, lui, n'aurait pas manqué de prévenir la police en voyant le contenu du coffre.

– Est-ce qu'on avait vérifié le mode de saisine ? Le commissariat local avait peut-être reçu un appel signalant la présence du corps.

– Justement, non ! Et c'est la raison pour laquelle je ne crois pas à un quidam quelconque. Tu sais bien que c'est l'odeur qui a attiré l'attention de l'employé municipal, et rien d'autre.

– Tu ne crains pas que la matière vomie soit altérée, compte tenu du temps écoulé et des mauvaises conditions atmosphériques, ces derniers jours ?

– Le labo nous l'indiquera. En attendant, c'est plutôt une bonne nouvelle, non ? répliqua Fergeac.

– D'accord avec toi. Je me demande pourquoi on n'a pas encore retrouvé le corps de Jessica. Qu'est-ce que le tueur a pu en faire ?

– Eh ! Tu ne vas pas baisser les bras. Ça m'étonne de toi, d'habitude si pugnace, toujours tonique !

Paluches se contenta de hausser les épaules.

– Eh bien, moi, tu vois, j'y crois encore ! Quelque chose me dit qu'elle est toujours vivante. Le tueur nous nargue, avec son petit message. Tu peux me dire pourquoi, s'il l'avait tuée, il attirerait notre attention sur lui ? À croire que ça le vexe qu'on ne lui tourne pas encore autour. C'est fréquent chez les sociopathes. Ils ne savent plus où ils en sont. D'un côté, le souci d'échapper à la justice, mais d'un autre, la frustration de passer inaperçu. La non-reconnaissance leur est insupportable. Crois-moi, on ne manque pas d'exemples, ici à la Crim'. J'ai promis à la mère de Jessica de retrouver sa fille. Le travail du groupe finira par payer. Je vous fais confiance.

Une sonnerie interrompit le dialogue. Rieulay décrocha.

– Quentin est-il dans le coin ? demanda une voix.

Le procédurier reconnut celle de Lennon.

– Tiens ! C'est Fred. C'est pour toi.

– Je t'écoute.

– Je viens de visionner à nouveau la bande. Vernoy n'apparaît pas dessus. Ce n'est donc pas lui qui a posté la lettre. Par contre, rejoins-moi aux zonzons. Il y a une discussion qui va t'intéresser.

Fergeac retrouva Lennon et encastra ses oreilles dans un casque tout en prenant place à ses côtés devant l'ordinateur. Fred procéda au calage.

Les voix du couple se firent entendre.

– *Luc ? Où es-tu ?*

– *Pourquoi me poses-tu cette question ? Tu le sais bien.*

– *J'ai essayé de te joindre tout l'après-midi. Tu n'as jamais répondu.*

– *Mon portable était en charge, tout simplement, et je ne l'avais pas avec moi. Y a-t-il un problème ?*

– *Des policiers de Paris sont venus me voir au musée. Ils m'ont posé un tas de questions sur toi et ils ont même perquisitionné chez nous.*

– *Qu'est-ce que tu dis ?*

– *Qu'ils te cherchaient pour procéder à des vérifications. Où es-tu ?*

– *Mais je te l'ai dit. Ici.*

– *Ils ne t'ont pas trouvé chez toi. Ça doit être grave pour qu'ils se soient déplacés jusque chez nous. Qu'est-ce que tu as fait ?*

– *Attends ! Je ne comprends rien à ton histoire.*

– *Ils ont parlé d'une altercation entre toi et une élève, le dernier jour de classe.*

– *J'ai eu effectivement une prise de bec avec une gamine, mais pas au point de mobiliser une équipe de police.*

– *Il ne s'agit pas de n'importe quelle équipe de police. Celui qui m'a interrogée a parlé du quai des Orfèvres.*

La bande laissa passer un blanc. Des tré-molos dans la voix, Luc Vernoy reprit le dialogue :

– *Ces gars enquêtent sur des crimes. Qu'est-ce qu'ils me veulent ?*

– *Tu connais une Jessica ?*

– *C'est avec elle que j'ai eu l'algarade.*

– *Ils disent qu'elle a disparu.*

– *Je n'y suis pour rien, je peux te l'affir-mer. Je ne comprends toujours rien à cette histoire.*

– *Je te crois. Je leur ai dit que tu n'étais pas violent.*

– *Pourquoi as-tu parlé de violence ? En t'exprimant ainsi, tu leur as laissé sous-entendre que je pouvais me laisser aller à de tels actes. Avec eux, il faut se méfier de tout.*

– *Non. Ce n'est pas ce que j'ai voulu dire. Mais cette fille est introuvable, et une de ses copines a été découverte assassinée.*

– *Hein ! Répète !*

– *Tu m'as bien entendue.*

– *Le flic t'a laissé ses coordonnées ?*

– *Oui.*

– *Passe-les-moi ! Je vais l'appeler.*

– *Luc. Jure-moi que tu n'y es pour rien !*

– *Mais qu'est-ce que tu crois ? Vous êtes tous malades, ce n'est pas possible.*

L'enseignant raccrocha une fois l'infor-mation communiquée. Lennon leva la tête tandis que Fergeac ôtait ses écouteurs et remettait un peu d'ordre dans sa chevelure.

– Tu as reçu un appel ?

Quentin secoua négativement la tête.

– Devine l'endroit d'où il téléphonait ? D'Anglet.

Fergeac esquissa un mouvement d'étonnement.

– C'est près de Biarritz ! Qu'est-ce qu'il fout là-bas ?

34

Une main en avant, un bras replié en protection devant sa poitrine, Jessica se dirigeait à l'aveugle, pas à pas, raclant un pied puis l'autre sur le sol. L'obscurité modifiait sa perception des objets et des formes.

De quoi l'inquiéter ! Il lui fallait deviner pour se rassurer. Ses doigts rencontrèrent une surface granuleuse. Un mur en parpaings ? Elle choisit de glisser sur sa gauche, et elle parvint jusqu'à un angle sans qu'aucun obstacle ne vienne la gêner.

Elle balaya rapidement l'espace de ses mains. Des étagères murales ? Des boîtes métalliques s'entrechoquèrent lorsqu'elle les bouscula, puis tombèrent sur le sol, provoquant un sacré bazar.

Jessica suspendit ses mouvements. Son cœur battit plus fort. Impossible que le dingue n'ait rien entendu ! Sûr qu'il allait se pointer. Pourquoi avait-elle laissé le crochet sur le lit. Ce petit morceau de ferraille aurait pu lui servir d'arme.

Après des minutes interminables, comme aucun bruit ne parvenait de l'extérieur, elle reprit alors ses tâtonnements. Des planches. Une table. Un étau. Peut-être un bricoleur ? Donc besoin d'électricité ? Comment n'y avait-elle pas pensé ? Suffisait de lever la main, de chercher l'ampoule et de suivre le fil.

L'espoir revint. Ses doigts effleurèrent le plafond rugueux. La lampe devait se trouver au centre de la pièce. Mais comment s'orienter dans l'obscurité la plus totale ? Trouver la porte la conduirait plus vite à découvrir l'interrupteur. Pour cela, il lui fallait continuer à glisser le long du mur jusqu'au prochain angle.

Encore des armoires métalliques. Sa main toucha des manches en bois. Elle s'agenouilla et palpa le fer des outils. Un râteau. Des bêches, un croc. Une fourche ! Jessica s'arc-bouta contre le manche et se redressa.

Sauvée ! Il lui suffisait maintenant d'attendre le fou, debout, en face de la porte et de l'empaler.

Un frisson la parcourut. Aurait-elle le courage et assez de force pour le toucher ? Elle risquait de le tuer. Mais avait-elle le choix ? Elle s'empara de la fourche et poursuivit la fouille de la pièce.

Dans un autre angle, après les blocs de parpaings, une surface plus lisse. Du bois ?

Une porte ? Le passage vers la délivrance ? La fébrilité s'empara d'elle. Sa main trembla en suivant le contour du chambranle, avant de tenter d'actionner la poignée, le cœur battant.

Mais la porte restait fermée.

Des larmes de désespoir lui vinrent. Ses doigts nerveux tâtonnèrent encore à la recherche de l'interrupteur. En vain. La lumière devait s'allumer de l'extérieur. Toute fuite devenait impossible. Ne restait plus qu'à attendre le dingue. Comment le surprendre ? En l'attaquant de face ? En le piégeant de côté ? Non ! Il devait bien exister une autre solution.

Son pied buta alors contre des boîtes en plastique. En fait, des petites valises, des coffrets qu'elle entreprit d'ouvrir. Ses mains devinèrent une perceuse. Instinctivement, mécaniquement, son doigt appuya sur la gâchette. Un bruit de crécelle la fit sursauter, mais un rai de lumière venait de trouer l'obscurité pour disparaître aussitôt.

Jessica se raidit. Ses mains reprirent la crosse et son doigt retrouva l'interrupteur de la perceuse. Le rayonnement apparut au moment même où le moteur de l'appareil se mit à fonctionner.

Elle tenait en main une visseuse montée sur batterie. Le faisceau balaya la pièce. Trop rapidement pour en appréhender l'univers, trop fin pour l'éclairer, mais elle réussit à diriger méthodiquement le rayon lumineux pour apprécier l'espace. Aucune fenêtre sur les murs, elle se trouvait bien enterrée dans une cave plutôt de faible dimension. Sur son lit, des excréments séchés ainsi que des taches humides tapissaient un matelas défoncé. Une salopette maculée de traces de peinture pendait, accrochée au manche d'un râteau à la façon d'un épouvantail qui n'aurait pas de bras.

Jessica s'en empara. Elle posa la perceuse sur le sol. L'interrupteur resté enclenché par son bouton de blocage, maintenait le mince faisceau en fonction. Elle manqua de perdre l'équilibre en enfilant chacune des jambes. Le moindre effort lui coûtait.

La combinaison sentait le white spirit. Trop grande, elle flottait autour de sa taille, mais Jessica en savoura le contact sur sa peau.

Le sadique avait voulu la rabaisser en la privant de ses vêtements, l'humilier, faire d'elle une bête apeurée. Une simple salopette suffisait à lui rendre une dignité humaine.

La batterie de la visseuse donna des signes de fatigue. Jessica se rua vers l'appareil pour débloquer le contact. L'obscurité réapparut, épaisse et lourde. La captive partit en direction du lit, se contentant de s'éclairer par intermittence. Elle retrouva le crochet aiguisé et l'enfonça dans la poche de la salopette, puis elle se dirigea vers la porte.

Mais le moteur répondait de moins en moins à ses sollicitations, avant de rendre l'âme dans l'obscurité.

Le silence.

Jessica s'affola.

Elle crut discerner un bruit derrière la porte. Quelqu'un venait.

Sa main écrasa le manche de la fourche.

35

Émilie jubilait en entrant dans le bureau de son chef de groupe.

– Alors ? La petite Férain et ses idées à la noix ? S'obstiner à vouloir faire parler une muette ? Une vue de l'esprit ? Une gageure ?

Tout excitée, prête à signer son enthousiasme, elle joignit le geste à la parole en ouvrant des guillemets fictifs.

Fergeac lui rendit son sourire.

– On dirait bien que Louise Bouhon a déteint sur toi. Au doigt d'honneur, tu viens d'ajouter du vocabulaire. Si tu nous fais le plaisir de commenter ce soir le menu de Denise, je m'engage à régler la tablée. Paluches et Lennon seront des nôtres, mais pas Pompon. Je crois qu'il a des heures à récupérer auprès de Laurence. Ça te dit ?

– Si on ne s'éternise pas toute la nuit là-bas, je suis d'accord pour vous accompagner. Le labo ne nous communiquera pas les résultats avant demain matin. J'ai hâte d'y être. On va peut-être enfin tenir ce salaud.

– À condition que les gars parviennent à isoler un segment d'ADN et que notre client soit signalé. Du fait de l'irritation, un organisme qui vomit expectore toujours des muqueuses ou du sang. Je dois reconnaître que tu as fait un travail remarquable. Je suis fier d'avoir une fille comme toi dans mon groupe.

– Je saurai te le rappeler le jour où tu m'enverras paître, retourna-t-elle, ironique mais sensible au compliment.

– Au lieu de te complaire dans l'autosatisfaction, parle-moi un peu de la voiture conduite par notre tueur. Est-ce que Bouhon a pu identifier un modèle ?

– Difficile d'être affirmative mais elle pencherait pour une Audi A4 de couleur sombre.

– Pour une vieille qui n'y connaît rien aux voitures, ça me semble bien précis.

– En fait, je l'ai un peu aidée. Elle a indiqué avoir vu quatre cercles à l'arrière du coffre et le chiffre 4. Ça te fait penser à quoi ?

– À une Audi !

– Facile, hein ?

– Et aucun numéro, aucune lettre ?

– Juste un « 2 » et même pas positionné. Quant à la lettre, un « I », peut-être un « J ».

Fergeac se mordillait toujours la lèvre en secouant la tête.

– Impossible dans ces conditions de consulter les fichiers minéralogiques. Il y aurait bien quelque chose à tenter.

Sa remarque attisa la curiosité de sa collègue.

– Tu penses à quoi ?

– Au courrier posté.

– Continue !

– Suppose qu'il soit l'auteur du dépôt. Imagine un peu. Comment se rend-il à la boîte aux lettres ?

– À pied ?

– S'il habite dans le quartier.

– En voiture ? Par les transports en commun ?

– S'il habite en périphérie.

– Je crois deviner.

– Mets Michel et Fred sur le coup. Vous vous attelez à vérifier les véhicules Audi en contravention pour mauvais stationnement dans la zone, ce jour-là. On ne part pas manger avant d'avoir un résultat.

– Tu ne rêves pas un peu ?

– Et ce n'était pas du délire, de ta part, de penser faire parler la muette ? Tu vas déjà me faire regretter d'avoir salué tes performances « insignes » de policière.

Émilie Férain fit claquer sa langue et dodelina de la tête, comme une gamine capricieuse.

– Bien, chef ! D'accord, chef ! On s'y met tout de suite, chef !

Resté seul, Quentin ferma la porte de son bureau et tira son portable de la poche de son jean. Avec difficulté tellement son pantalon lui collait aux cuisses. Quelques kilos de trop sans doute.

– Ellen ?

Une voix chaude lui répondit.

– C'est rare que tu m'appelles dans la journée.

– Je voudrais emmener le groupe casser une petite croûte ce soir « Chez Denise ». On a beaucoup de vérifs' à faire qui risquent de nous prendre pas mal de temps, d'ici là. Veux-tu profiter de ta soirée pour sortir de ton côté ? Je ne sais pas à quelle heure je rentrerai.

– Je vais voir. C'est gentil de penser à moi.

– Je t'aime, Ellen.

– *Moi non plus*, te répondrait Gainsbourg. Ne fais pas trop de bruit en rentrant, si tu traînes un peu.

36

Le capitaine Féraud arrêta Quentin dans le couloir.

– Alors, cette décarrade hier soir ?

– Tu te fais des idées. C'était juste une petite bouffe. Un petit salé aux lentilles. Remarque, j'ai encore le fumet des saucisses de Montbéliard dans les narines.

– Arrête ! Tu me fais saliver.

– Des nouvelles de l'IJ ?

– Ça prend un peu de retard, mais Fontaine m'a assuré d'une réponse dans la journée.

– Et les recherches au niveau des contre-danses ?

– Toujours en cours. Un travail de dingue.

– Ça, je m'en doute.

– Au fait, il y a une surprise pour toi à l'accueil. On ne t'a pas prévenu ? Luc Vernoy est en bas avec une gonzesse.

– Sérieux ?

– Si je te le dis.

– Fais-les monter ! Je les attends dans mon bureau. Paluches est arrivé ?

– Ouais. Je l'ai aperçu dans les couloirs.

– Récupère-le, et qu'il m'embarque la femme !

Vernoy dans leurs locaux ! Et de son plein gré ! Une bonne nouvelle pour commencer la journée. Fergeac profita de l'attente pour mettre un peu d'ordre sur son bureau, puis il brancha son ordinateur.

Un petit coup discret contre sa porte ouverte lui fit lever les yeux. On lui présenta un couple. Quentin reconnut Luc Vernoy, mais pas la femme qui l'accompagnait.

– Ma femme m'a fait part de votre déplacement à Lens. Vous me cherchiez, paraît-il ?

– Votre femme, dites-vous ? Qui est alors la personne qui vous accompagne ?

L'enseignant se crispa, visiblement mal à l'aise. Il semblait avoir du mal à trouver ses mots.

– Madame Douria Bouchrou. Une amie. Enfin...

– Je crois comprendre. Et... ?

– En fait, nous sommes partis tous les deux en profitant des vacances scolaires.

Quentin leva la main, paume ouverte, pour lui signifier de se taire. Un géant barbu vêtu d'une chemise épaisse à carreaux venait de s'encadrer dans la porte. Un vrai bûcheron canadien.

– Il paraît que tu as besoin de moi ?

– Ouais ! Prends l'audition de madame. Elle et Luc Vernoy sont partis ensemble faire une petite escapade de plusieurs jours, si tu comprends ce que je veux dire. J'aimerais qu'elle détaille leur séjour.

Rieulay indiqua le chemin d'une de ses grosses paluches. Durant ce temps, Fergeac avait pris soin de régler la webcam sur Vernoy.

– Bien ! Je travaille dans le cadre d'une commission rogatoire. Tenez ! Lisez le nom du juge d'instruction et l'intitulé de la CR. Je vais procéder à votre placement en garde à vue à compter de votre présence en nos locaux. Des droits s'attachent à cette mesure. Je vais vous les notifier. Connaissez-vous un avocat qui pourrait vous assister ?

– Non. Pourquoi le devrais-je ?

– Dans ce cas, nous allons aviser le bureau de l'ordre des avocats pour qu'il vous en soit désigné un d'office.

Quelques minutes plus tard, l'imprimante laser recrachait le procès-verbal que Fergeac tendit à l'enseignant pour qu'il y appose sa signature. Vernoy supporta ensuite les opérations classiques de fouille et de signalisation avant son passage en cellule. Quentin en profita pour se rendre dans le bureau de Rieulay afin d'y écouter les explications données par l'amie.

– En quelle position dois-je la placer ? questionna Paluches.

– Juste en qualité de simple témoin. Elle attendra ensuite un peu chez nous au cas où il serait souhaitable de procéder à une confrontation. Et puis, elle sera libre.

Pierre Grandjean, l'avocat commis d'office, répondit à l'invitation de Fergeac à s'asseoir derrière son client. Cette mission ne semblait pas correspondre à la haute idée qu'il se faisait de sa vocation, voire de ses ambitions. Il était encore jeune, mais fallait bien commencer !

– Nous enquêtons sur la victime d'un crime. Une adolescente prénommée Açelya. Ce prénom vous dit-il quelque chose, monsieur Vernoy ?

Le gardé à vue, impassible, secoua la tête en signe de dénégation.

– Il se trouve que la copine avec qui elle était, a aussi disparu. Une certaine Jessica Graincourt.

– Il s'agit d'une de mes élèves.

– Avec qui vous avez eu une altercation verbale assez vive, lors du dernier jour de classe.

– C'est exact !

– On peut savoir pourquoi ?

– Je traitais de la théorie du genre, et il semble que la classe n'ait pas compris exactement mon propos. Jessica particulièrement.

– Rapportez-moi les paroles que vous avez prononcées devant cette élève, ce jour-là !

– J'avoue que je ne m'en souviens plus.

– Je vais donc vous rafraîchir la mémoire, avança Fergeac en extirpant un feuillet de la procédure. Jessica aurait claironné que tous les hommes étaient des salauds, et elle vous aurait reproché vos tripotages.

Le visage de l'enseignant s'empourpra.

– Jamais, à aucun moment, je ne me suis permis de gestes équivoques sur cette jeune fille, s'exclama-t-il. C'est tout simplement de la diffamation et je n'en resterai pas là.

– Vous lui auriez répondu que vous lui feriez regretter ses paroles. Des menaces ?

– Je ne lui ai rien fait. Demandez-lui !

– Encore faudrait-il que Jessica soit présente pour répondre. Elle a disparu.

– Vous ne voudriez tout de même pas insinuer que j'en serais à l'origine ?

– C'est la raison pour laquelle nous avions besoin de procéder à quelques vérifications. Et pour cela, de vous rencontrer et de vous entendre. Mais personne à votre domicile parisien, personne non plus à votre domicile familial. Conclusion logique des enquêteurs : monsieur Vernoy a peut-être pris la fuite.

– Si c'est comme cela que vous menez vos enquêtes…

– Oh là ! Je vous arrête tout de suite. Enfin, je veux dire, je vous demande d'arrêter ce genre de commentaire. Vous êtes mal placé pour donner des leçons de morale. Alors contentez-vous de répondre à mes questions !

Vernoy se tassa sur son siège.

– À l'occasion d'une perquisition effectuée en votre absence dans votre appartement, nous avons découvert un cahier appartenant à Jessica Graincourt. Un journal intime.

– Une simple confiscation. Parce qu'elle le rédigeait pendant mes heures de cours. Étonnez-vous après cela qu'elle m'en veuille !

– Détaillez-nous votre emploi du temps à partir du dernier jour de classe !

– Comment voulez-vous que je me souvienne de tout ?

– Ce n'est pourtant pas très lointain. Je vous écoute !

Vernoy se tritura le nez entre le pouce et l'index, le coude en appui sur l'autre bras.

– J'ai rejoint mon amie chez elle où j'ai d'ailleurs passé la nuit. Nous avions prévu de partir le lendemain matin de bonne heure.

– Quel moyen de locomotion ?

– Sa voiture.

– Ensuite ?

– Madame Bouchrou et moi avions loué un gîte à Anglet. Nous y sommes arrivés en début de soirée, après avoir fait une grande partie du trajet par autoroute.

– Vous pourriez nous montrer les tickets de péage ?

– Pas pour l'instant. Douria possède un abonnement télépéage et elle n'est prélevée que le mois suivant. Il vous sera facile de le vérifier. Quant à l'adresse au pays Basque, je pense qu'elle doit avoir encore avec elle la facture de notre séjour.

– Qui a duré jusqu'à quelle date ?

– Nous sommes rentrés cette nuit, à la suite du coup de fil de ma femme.

Si l'enseignant disait la vérité, son statut de suspect se transformait en celui de témoin. Restait encore un point à vérifier. Quentin lui présenta une feuille vierge, arrachée d'un cahier neuf, en lui tendant un stylo.

– Monsieur Vernoy, je vais vous demander d'écrire sous ma dictée le texte suivant, spontanément et rapidement, sans vous arrêter : *La petite gouine n'ira pas s'afficher cette année à la marche des fiertés LGBT...*

– « L » quoi ? demanda Luc Vernoy, étonné.

– Écrivez comme vous l'entendez. Je reprends : ... *des fiertés LGBT. Dommage pour elle et sa copine mais cela valait mieux pour la morale.*

Le monde à l'envers ! L'enseignant redevenu élève...

– Rendez-moi la feuille, s'il vous plaît !

Fergeac compara les deux écritures. Aucune ressemblance graphologique entre les deux textes. En outre, le professeur avait écrit le mot *fiertés* avec un « F » majuscule et avait séparé le sigle LGBT d'un point entre chaque lettre.

Vernoy releva la tête, visiblement dépité.

– Vous pensiez que j'avais écrit ce texte ?

– Plus maintenant, monsieur Vernoy. Plus maintenant.

37

Émilie Férain déposa la fiche d'identification des véhicules sur le bureau de son chef de groupe.

– Tiens, lis ! Trop beau pour être vrai.

Fergeac avait compris avant même d'en inventorier le contenu.

Le capitaine Féraud releva la tête de ses dossiers, intrigué par la remarque d'Émilie.

Un véhicule de marque Audi A4 avait été verbalisé pour mauvais stationnement et enlevé, puis déposé à la préfourrière du Premier arrondissement, rue Coquillière.

– Tu as lu le numéro ?

– Waouh ! On retrouve le « 2 » et la lettre « J ». Comme tu dis, trop beau pour être vrai. Tu l'as passée au fichier ?

– À ton avis ?

– Ça donne quoi ?

– Eh bien ! figure-toi qu'elle n'apparaît même pas en véhicule volé.

– Trop beau pour être vrai, on se répète, mais tu as raison. J'ai peur de déchanter. Tu as fait la vérif' auprès de la fourrière ?

– Non. J'attendais de t'en parler.

– Alors, fais-le !

Émilie s'était constitué un fichier de lignes directes pour gagner du temps. Elle balança l'information à son interlocuteur et attendit le temps de la consultation, tout en maugréant d'impatience.

– Ta voiture n'a pas été récupérée dans le délai de cinq jours, lui dit son correspondant. Elle a été transférée à la fourrière Chevaleret.

– C'est dans le XIIIᵉ, si je ne me trompe ?

Émilie se replongea dans ses fiches en attendant la réponse : l'Audi A4 n'était toujours pas réclamée.

Fergeac la vit revenir les yeux aussi grand ouverts que ceux d'un lémurien devant un champ de manioc.

– Alors, qu'est-ce qu'il t'arrive ?

– L'Audi est toujours en fourrière et toujours pas déclarée volée.

– Qu'est-ce que c'est que cette histoire ? Embarque Rieulay et chiadez-moi des constates de première ! Et n'oubliez pas l'IJ. Je pense qu'une visite s'imposera ensuite chez son propriétaire, un certain Jean de Boistrancourt. J'ai consulté le fichier sur son blaze. Inconnu au bataillon.

Le verdict tomba quelques heures plus tard, quand un appel d'Émilie, d'une voix nerveuse et vive, titilla les oreilles de Fergeac.

– Maligny et Buteaux sont parvenus à effectuer quelques prélèvements sur le tapis de feutre du coffre de l'Audi. Ce pourrait être de la salive séchée ou de la morve. Difficile de savoir pour l'instant. Ils ont trouvé quelques squames également. Quant aux empreintes, je ne te dis pas, il y en a partout.

– Super ! Et les constates sur la voiture ?

– Pas de fils déconnectés au niveau du neiman, s'il s'agit de répondre à ta question. J'ai consulté la fiche d'enlèvement. Les portières étaient verrouillées. C'est à n'y rien comprendre.

– Peut-être étaient-ils équipés… ?

– Tu veux parler de logiciels perfectionnés ?

– On sait aujourd'hui que les voleurs peuvent neutraliser les systèmes de fermeture et débloquer les antivols.

– Les voleurs, peut-être, mais pas les tueurs.

– Ramène-toi avec Paluches ! On va aller rendre une petite visite à son propriétaire.

Féraud pivota sur sa chaise et s'adressa à Quentin.

– Je t'entends dire que tu veux aller taper chez le mec. Qu'est-ce qu'Émilie t'a raconté ?

Au résumé de l'appel, Pompon fit la moue.

– Tu ne préfèrerais pas plutôt attendre le résultat des prélèvements ? Qu'est-ce qu'on a en fait ? Une marque de voiture communiquée par une vieille qui n'y connaît pas grand-chose en mécanique, un chiffre et une lettre dont elle n'est même pas certaine puisqu'elle balance entre un « I » et un « J ». Et tout ça relevé de nuit.

– Une nuit de pleine lune, je te signale. Un détail que tu aurais dû remarquer si tu avais bien lu l'audition de la « vieille », comme tu l'appelles. Tu mesures le fossé qui sépare l'adjoint de son chef ? Tu as encore beaucoup à apprendre, mon petit gars, avant d'occuper ma place.

Pompon affecta de se braquer, mais le ton employé par Quentin n'avait rien d'agressif et ne laissait planer aucune équivoque. Un Quentin caustique, le trait d'humour au bord des lèvres, toujours prêt à charrier les membres de son équipe, sans jamais une once de méchanceté ou d'arrière-pensée...

– Je pense toujours à la gamine, rajouta Fergeac pour conclure. Le temps presse. Je la sens toujours en vie, bizarrement, mais ses jours sont sans doute comptés. Je m'en voudrais tellement si, après coup,

on s'apercevait qu'on aurait pu la sauver,
à quelques heures près.

– Tu as sans doute raison. On va taper
ce Boistrancourt. De toutes façons, qu'est-
ce qu'on risque ?

38

Les deux véhicules de service se garèrent sur le trottoir, rue Saint-Didier, dans le XVIe arrondissement. Fergeac se planta devant une grille donnant accès à un immeuble de huit étages coincé entre deux autres de style haussmannien. Sur la gauche, un petit commerce de vente à emporter côtoyait un magasin de meubles pour enfants. Derrière, une boutique de linge de maison. À une dizaine de mètres de là, en plein carrefour, l'inévitable McDonald's.

– Vous avez vu ?

Fergeac adressa un signe de tête à ses ripeurs pour attirer leur attention sur les commerces de proximité. Message compris ! La photo de « l'aristo », une fois dans leurs mains, ferait le tour du voisinage.

Les hommes de la Crim' traversèrent la petite cour qui séparait la grille d'entrée de l'immeuble pour lequel ils n'avaient pas de code d'accès. Une jeune fille allait sortir du bâtiment. Intriguée, elle marqua un temps d'arrêt en apercevant le groupe d'individus de l'autre côté de la porte. Un géant barbu tenait en main un cylindre métallique. Un autre, plus petit, une caisse à outils posée devant ses pieds, la regardait d'un air béat. Un beatnik aux longs cheveux bouclés, un Perfecto usé sur le dos... Une équipe de bras cassés, des pieds nickelés contemporains...

Comme la jeune fille s'apprêtait à faire demi-tour, Quentin s'avança pour la rassurer en appliquant sa carte tricolore contre la vitre.

Un bruit de gâche. Un déclic. Fergeac, reconnaissant, la remercia d'un sourire lorsqu'elle les croisa, pas tout à fait rassurée. Il repéra la boîte aux lettres qui portait une petite plaque gravée « Jean de Boistrancourt ».

– C'est bien ici.

Sa main glissée dans la fente resta coincée à hauteur du pouce. Ses doigts balayèrent du vide. Rien d'étonnant. Une affichette *Stop pub* en limitait le contenu. Pas de courrier non plus !

– Cinquième étage ! annonça-t-il en se retournant sur ses hommes.

Résignés, ils le suivirent en grimpant à pas feutrés les marches de faux marbre, suivis par le serrurier requis et rodé à ce genre d'exercice.

Quentin s'aida de la rambarde pour le dernier étage. Son souffle court et ses jambes lourdes lui rappelèrent qu'il était peut-être temps pour lui de reprendre le sport. Comme tant de choses qui avaient été mises en veille depuis la mort de Yann...

Il colla son oreille contre la porte, le bras replié derrière lui pour inciter au silence. Aucun bruit ne filtrait de l'intérieur.

– Qu'est-ce qu'on fait ? chuchota Rieulay en maintenant fermement le bélier dans ses énormes mains.

Quentin examina la porte.

– Approchez !

Le serrurier s'avança, puis s'accroupit à hauteur du barillet de serrure. Il se releva, l'air satisfait.

– Je peux vous faire ça en moins de trois minutes, murmura-t-il. Quant au verrou de sûreté, quelques coups de marteau bien appliqués seront suffisants.

Paluches interrogea du regard. Fergeac fit la moue. Pourquoi enfoncer la porte à coups de bélier alors que le spécialiste pouvait faire le travail proprement ? Il n'était pas très favorable à la méthode de Rieulay, d'autant moins qu'il ne percevait toujours pas le moindre bruit. Pensif, il invita Lennon à le rejoindre, d'un geste de la main.

– Demande au voisin du dessous s'il peut nous dire quelque chose au sujet de ce type !

Fred s'exécuta sans bruit. On entendit un coup discret contre la porte puis quelques chuchotements. Le ripeur remonta aussitôt apporter la réponse.

– La voisine dit qu'il doit être parti en vacances, car elle n'a rien entendu depuis au moins une semaine, si ce n'est plus. Le mec vit seul.

– Tu peux aller la chercher, parce qu'il nous faudra deux témoins en l'absence de l'occupant.

Fergeac donna le feu vert au serrurier qui n'avait pas attendu l'autorisation pour armer de la bonne mèche le mandrin de sa perceuse.

La serrure roucoula tandis que le foret s'encastrait par à-coups recrachant des lamelles de cuivre qui se tordaient comme un ver. L'homme de l'art sortit les pistons un à un à l'aide d'une fine tige, puis enfonça le plat d'un tournevis en exerçant un mouvement de rotation. Le barillet tourna deux fois. Il se redressa tout sourire et tapota sa montre en adressant un signe de tête à Quentin.

– Pari réussi.

Le verrou de sûreté ne résista pas plus aux coups de burin.

Quentin entra le premier, arme au poing, suivi de ses hommes. À chacun sa pièce, par ordre d'arrivée.

Les membres du groupe Fergeac durent très vite se résoudre à une réalité décevante : Jean de Boistrancourt ne se trouvait effectivement pas dans l'appartement.

Et Jessica Graincourt non plus !

Les lieux laissèrent Quentin pantois. Partout du cuivre, du laiton, des couleurs chaudes. En attendant l'arrivée de l'IJ, il admira un haut secrétaire à sept tiroirs en marqueterie Boulle, un Napoléon III en poirier noirci et en écailles de tortue. Un meuble d'appui à la porte galbée, surmontée d'un tiroir, donnait la réplique à un autre meuble identique, en ébène. Il contourna un bureau à quatre faces en laiton gravé, pour en ouvrir le grand tiroir plaqué en acajou. Des documents sous chemises transparentes s'y tenaient bien rangés.

– Waouh ! Quel luxe ! De Boistrancourt, un tueur ?

Quentin montra à la voisine la photographie d'un homme âgé d'une soixantaine d'années. Elle confirma qu'elle représentait bien le propriétaire de l'appartement.

– Tout le monde dehors ! À partir de cette photo, Fred, commence à interroger le voisinage et les commerces de proximité. On fait ensuite le point sur place.

39

Les jambes flageolantes, le cœur proche de l'explosion, Jessica retenait son souffle. La porte devait s'ouvrir vers l'extérieur, aussi appuya-t-elle les dents de la fourche contre le panneau de bois. Sa décision était prise.

« Je vais t'embrocher, salaud, et me barrer d'ici vite fait ! Tu vas subir ce que tu voulais me faire. Je vais te crever ! Je ne te laisserai aucune chance ! Et je ne vais pas craquer ».

Jessica déroulait mentalement le film de son attaque surprise. Une fin tragique. Pour l'un ou pour l'autre.

Elle serra le manche encore plus fortement, mais ses bras agités de tremblements l'inquiétaient. Aurait-elle la force suffisante ? Et la volonté… ?

Tuer pour se défendre. Simplement par réflexe. Elle n'avait pas choisi. On l'y avait contrainte. Alors, pourquoi se sentirait-elle coupable ? Sa propre vie en dépendait. Pourquoi avait-elle dû vivre ce cauchemar ? Pourquoi elle ? La peur prenait le dessus.

Plus question de se raisonner. Juste une question de survie.

« Tu ne m'auras pas, espèce de malade ! »

Un frottement derrière la porte la fit sursauter. Était-il présent, ou bien étaient-ce tout simplement ses nerfs qui lui jouaient des tours ? À quelle sorte de jeu s'amusait donc ce sadique ?

« Je vais t'avoir ! »

Elle contenait son envie de crier sa rage, et se rattachait au mince espoir que son tortionnaire n'ait pas entendu le bruit de la visseuse. Il devait la croire allongée sur le lit. Cet avantage favoriserait l'effet de surprise.

« Je suis la plus forte ! »

Un coup. Une seule poussée meurtrière et tout serait fini. Mais que faisait-il ? Jessica doutait. Comment s'assurer de sa présence derrière la porte sans se trahir ? Mon Dieu, faites qu'il entre ! Qu'on en termine.

« Qu'est-ce que tu attends ? Mais viens ! Viens ! »

L'engourdissement commençait à gagner ses membres. Elle se dandinait à la manière d'un joueur de tennis dans l'attente du service adverse. Un silence écrasant amplifiait chaque bruissement, chaque expiration.

Soudain, une lumière violente provoqua des milliers de scintillements sur sa rétine.

Non seulement, elle avait perdu la vue mais aussi le sens du jugement. Sans discernement, elle cria « Crève ! » en tendant les bras devant elle. Les dents de la fourche s'enfoncèrent dans une masse molle et compacte. L'élan non maîtrisé la précipita sur le sol. Elle dut lâcher le manche pour tenter d'amortir sa chute. La lumière vive avait eu raison de ses journées passées dans l'obscurité la plus totale.

Brutalement, des genoux lui écrasèrent les reins. Deux mains entourèrent son cou pour l'étouffer. Jessica rua, vrilla son dos, agita ses bras et sa tête, mais les doigts continuaient d'assurer leur prise. Cette fois, c'en était fini. Il allait la tuer. Elle était pourtant certaine d'avoir enfourché quelque chose, mais elle n'avait provoqué aucun cri. Sa main droite glissa alors jusque dans la poche de sa salopette. Le crochet serré entre ses doigts, le souffle court, dans un dernier sursaut :

– Prends ça !

À l'aveugle, Jessica se retourna sur le flanc, déséquilibra son agresseur. Son crochet finit par lui écorcher un morceau de chair.

Un cri inhumain répondit à la douleur tandis que les mains revenaient lui serrer à nouveau le cou et que des doigts lui enfonçaient la glotte. Son bourreau lui cogna la tête contre le sol, de rage et de douleur. Des coups sourds. Jessica râla une dernière fois en mordant sa langue avant de perdre définitivement connaissance.

L'homme récupéra sa lampe restée allumée et appuya sur l'interrupteur. Une lumière crue baigna la pièce. Un rictus de haine lui zébrait la bouche. Il porta la main à son cou. Un liquide chaud et visqueux lui colora la paume.

Du sang ! Cette petite garce l'avait touché. Il écarta la fourche dont les dents s'étaient plantées dans un oreiller. Cette précaution lui avait sans doute sauvé la vie. Par hasard, il avait entendu les boîtes dégringoler dans la cave.

L'homme retourna le corps qui gisait sans vie, en s'aidant de son pied. Comment se débarrasser maintenant de ce fardeau gênant ? Par les bretelles de la salopette, il tira le cadavre derrière lui. Les talons ripèrent sur le nez des marches de l'escalier. Au rez-de-chaussée, il abandonna un instant le corps dans le couloir pour gagner à l'étage la salle d'eau. Dans le miroir de la petite armoire de toilette, il constata une profonde estafilade sur son cou.

« La garce ! »

Il resserra les deux lèvres de la plaie en inspirant sous la douleur. « Quelques centimètres de plus et c'en était fait de la jugulaire ».

L'homme se demandait avec quoi elle avait bien pu le blesser à ce point, et comment elle avait réussi à se libérer de ses liens. Cette petite peste avait failli l'avoir.

Dans sa précipitation à chercher de l'éther, le blessé renversa plusieurs fioles en jurant. Il détailla les emballages à la volée et jeta rageusement les flacons les uns après les autres dans la cuvette du lavabo. Il arracha un morceau de ouate. La plaie se rouvrit quand la main relâcha la pression. L'odeur faillit lui faire perdre connaissance. Enfin, il s'appliqua un large pansement adhésif.

Redescendu, il enjamba le corps puis ouvrit la porte d'entrée pour jeter un bref regard à l'extérieur. Tout y était calme. Il scruta les alentours, appuyé sur la rambarde du perron. La nuit s'était installée et la maison était isolée.

La main compressant toujours la plaie, il se dirigea vers un appentis où l'attendaient deux véhicules. Il recula un 4 x 4 jusqu'à l'entrée de la maison.

Il tira le corps trop lourd pour être porté. Les talons de Jessica rebondirent sur les marches. Ses pieds tracèrent deux sillons sur le sol recouvert de graviers. L'homme gémit en déposant le cadavre sur le plancher du coffre. Sa blessure provoquait des élancements à chaque effort.

Sur la départementale, le conducteur roulait vite, avec nervosité, et jetait régulièrement un coup d'œil inquiet sur le rétroviseur intérieur. Après le dernier village, il parviendrait dans la zone des étangs.

La prudence l'incita à ralentir sa vitesse dans la localité. Un contrôle inopiné de gendarmerie et tout serait fini pour lui. Difficile de leur dire qu'il venait d'embarquer une auto-stoppeuse. Au feu tricolore, pas question non plus de forcer le passage. Il tapotait nerveusement le levier de vitesses quand le *bluetooth* du véhicule le rappela à une réalité autoritaire qui s'inquiétait de son retard :

– C'est fait. Je pars déposer le colis.

– Il était temps, lui répondit la voix.

Les premières gravières se découpèrent bientôt sur la droite de la route apportant des touches plus claires à l'obscurité environnante. Le conducteur ralentit légèrement puis mordit le bas-côté où il s'arrêta, laissant tourner le moteur. L'inconnu extirpa du véhicule le corps inerte avec beaucoup de difficulté. « Plus lourde morte que vivante ! »

Il enjamba le rail de sécurité d'une démarche incertaine et balança le cadavre du haut de la rive. Le corps roula dans la pente en rebondissant. Le tueur jugea utile de ne pas s'attarder.

Dans sa précipitation à repartir, il emballa le moteur, et les roues arrière chassèrent en patinant. Une courte glissade en forme de S projeta des mottes d'herbe et de terre. Une perte de contrôle et d'adhérence que le conducteur ne parvint à maîtriser qu'au bout de plusieurs mètres avant de disparaître.

40

Pompon et Solau planquaient depuis la veille devant le domicile de Boistrancourt. La situation pouvait s'éterniser faute de renseignements. Où était passé cet individu ?

La nature de l'affaire ne nécessitait pas l'emploi d'un « sous-marin ». Les activités de Boistrancourt n'alimentaient pas les fichiers du grand banditisme. Tant pis ! Un « soum » banalisé et aménagé aurait apporté un confort relatif pour les longues heures inactives, bien supérieur à celui de la petite Peugeot dans laquelle ils étaient entassés.

– Ouvre un peu la vitre ! Tu ne trouves pas que ça pue ? râla Féraud à l'intention de son collègue, en lui bourrant les côtes. Tu as vu ta tignasse ? Ne sors pas comme ça. Les gens seraient capables d'appeler les flics.

Michel Solau cligna de l'œil en émergeant d'un léger somme réparateur.

– Quelle heure ? demanda-t-il d'une voix de rogomme en mettant le contact pour pouvoir baisser la vitre.

– Bientôt seize heures.

– Et pas de relève avant ce soir ! Ah, c'est vraiment la crise du personnel !

Solau extirpa difficilement la flasque métallique qui épousait sa poche arrière, et la secoua.

– Punaise ! J'ai quasiment tout descendu.

– Il aurait pu geler à moins quinze sans que ça te défrise.

– Parle pour toi !

Les deux collègues se rejoignirent dans un grand éclat de rire. En planque, on tuait le temps comme on pouvait.

Le soleil s'était invité dans l'habitacle, favorisant le retour d'une douce torpeur. Les emballages de leur dernier repas acheté au McDo du coin s'alignaient sur le tableau de bord, comme autant de trophées.

Quand un taxi s'arrêta de l'autre côté du trottoir, Solau retrouva ses réflexes de flic.

– Mate un peu !

Pompon s'apprêtait à décapsuler une cannette de Coca. Il suspendit son geste. Le chauffeur descendit de sa Mercedes pour ouvrir le coffre et en retirer deux valises qu'il remit au passager. Féraud se redressa vivement sur son siège et consulta la photographie étalée sur la plage avant.

– C'est notre type !

– Je prends l'immatriculation du taxi.

La voiture démarra. Pompon et Solau traversèrent la chaussée d'un pas rapide. Le voyageur avait libéré l'une de ses mains en déposant une valise sur le sol, et s'apprêtait à pousser la grille quand on le bouscula brutalement dans le dos.

– Brigade criminelle ! Ne bougez pas !

Une paire de bracelets immobilisa les avant-bras du client.

L'homme bégaya quelques mots incompréhensibles, puis se mit à crier en apercevant la tête hirsute de Solau.

– Que me voulez-vous ?

Le capitaine Féraud lui colla sa carte professionnelle sous les yeux.

– On se calme !

– Que se passe-t-il ?

– Votre nom ?

– Et pourquoi, je vous prie ?

– Votre nom, j'vous dis.

– Jean de Boistrancourt.

– Allez ! On l'embarque.

– Pourquoi ces bagages ?

Jean de Boistrancourt s'étonna de la question.

– Parce que je rentre de vacances. Tout simplement.

41

Fergeac ruminait sa frustration de ne pouvoir procéder sur-le-champ à l'audition de Boistrancourt. Mais ce n'était pas nouveau. Encore cette maudite réforme ! La présence des avocats ? Un caillou dans la chaussure, mais surtout une perte de temps.

L'intéressé s'entretenait pour l'instant avec Pierre Grandjean, son conseil. Un récidiviste. Hier avec Vernoy, aujourd'hui avec Boistrancourt. Décidément, le jeunot faisait des heures sup'.

Quentin décida de relancer ses collègues de l'Identité judiciaire. La réponse tardait.

– Fontaine ? C'est Fergeac. Dis donc, tu ne devais pas me balancer des résultats de labo ?

– Ce n'est plus qu'une question d'heures.

– Là, tu te fous de moi.

– Je ne peux pas aller plus vite que la musique.

– Merde ! C'est pas sérieux. Tu m'avais promis. J'ai des mecs en garde à vue. Tu me bloques tout.

– Chacun sa merde ! Tu me rappelleras quand tu seras calmé.

Michel Solau rédigeait le procès-verbal d'interpellation. Il leva les yeux sur Quentin.

– T'es pas à prendre avec des pincettes, aujourd'hui.

– Je déteste perdre mon temps, si tu veux savoir.

La tête de Rieulay se découpa dans le chambranle de la porte.

– Tu peux venir ? Notre client vient d'arriver.

Enfin ! Quentin suivit Paluches dans son bureau. Deux hommes les y attendaient. Il reconnut tout de suite le Boistrancourt de la photo. La soixantaine élégante, le port de tête altier, un visage mince aux traits réguliers, au front haut et dégarni, avec des cheveux couleur poivre et sel peignés en arrière. Ses vêtements avaient été confectionnés par un tailleur, du « prêt-à-en-imposer » sur mesure, la classe !

Fergeac tendit la main à l'avocat, et se contenta d'un signe de tête pour Boistrancourt.

– Bonjour, maître Grandjean. Vous allez finir par prendre pension ici. Vous y aurez bientôt votre rond de serviette, je fais allusion, bien sûr, à votre cartable.

L'auxiliaire de justice ne sembla pas apprécier.

– Commandant, mon client réprouve fortement la façon dont il a été interpellé dans la rue par vos hommes. Comme un vulgaire truand. Sans même savoir ce qu'on lui reprochait. Une simple convocation n'aurait-elle pas suffi ?

Quentin éluda la remarque d'un geste de la main.

– Nous sommes justement là pour nous en expliquer, maître. Je vous en prie. Vous ne manquerez pas d'avoir la parole à votre tour en fin d'audition.

Rieulay finissait d'ajuster la webcam pour cadrer efficacement le gardé à vue. Son chef de groupe en profita pour présenter la commission rogatoire.

– Comme vous le voyez tous les deux, expliqua Fergeac en s'adressant à Grandjean et à Boistrancourt, la commission du juge d'instruction Bonnevey qui suit ce dossier, vise une information ouverte contre X « du chef d'enlèvement, de séquestration et de meurtre », et me saisit de procéder à tout acte utile à la manifestation de la vérité. Je vais donc vous demander, monsieur de Boistrancourt, de prêter serment, de dire la vérité, toute la vérité, rien que la vérité.

Apparemment étonné, drapé dans sa dignité, l'homme se tourna vers son conseil pour solliciter tacitement son avis.

– Allez-y ! Il ne s'agit que d'un simple formalisme procédural.

– Eh bien, soit ! Je dirai la vérité, mais permettez-moi d'être indigné. Il est ici question d'enlèvement, de meurtre. Pouvez-vous me dire en quoi je suis concerné par cette enquête ?

Fergeac se tut, reprenant sa place habituelle, debout dans le dos de Rieulay, pour commencer l'interrogatoire. Auditionner un témoin dans le cadre d'une commission rogatoire l'obligeait à cesser toute question dès lors qu'apparaîtrait une « suspicion légitime permettant de supposer que la personne pourrait être l'auteur de l'infraction reprochée ». Cette procédure visait à ne pas priver la défense de ses droits. Quentin maîtrisait bien cet art délicat de la conduite d'une telle audition dont le but était quand même de recueillir quelques éléments de culpabilité de manière à donner au magistrat instructeur suffisamment de points d'appréciation.

– Lorsque mes collègues vous ont invité à les suivre...

– « Invité », dites-vous ? Vous aimez jouer avec les mots. J'ai bien eu droit à un carton, mais il n'était pas d'invitation.

Fergeac balaya la remarque d'un revers de la main.

– Lorsqu'ils vous ont donc demandé de les suivre, vous veniez de descendre d'un taxi avec deux valises. Vous pouvez m'expliquer ?

– Je rentrais de vacances. Tout simplement.

– De quel endroit ?

– De la côte basque où j'étais allé passer quelques jours.

Fergeac pensa immédiatement à Luc Vernoy. Une coïncidence ?

– Étiez-vous en compagnie de quelqu'un ?

– Je suis veuf.

– Et comme moyen de locomotion ? Votre voiture ?

– Pourquoi m'imposer un si long trajet alors que je puis m'y rendre en un peu plus d'une heure en avion. J'ai loué un véhicule sur place. Une Alfa Giulietta chez Hertz. Une vraie petite bombe.

– Où êtes-vous descendu ?

– À l'Hôtel du Palais. À flanc de falaise, avec vue imprenable sur la mer, la plage de sable et le rocher de la Vierge. Je vous le recommanderais bien mais je doute fort que votre salaire de fonctionnaire y suffise. Pour le reste, casino et tutti quanti...

– C'est d'un tout autre hôtel dont je compte vous parler bientôt. Un confort

plus spartiate, répliqua Fergeac, visiblement touché par la pique lancée par ce
mondain.

Il convenait de lui rabattre un peu le
caquet pour garder la main.

Maître Grandjean intervint avec une certaine véhémence dans le ton. À croire qu'il
se trouvait déjà dans le prétoire.

– En parlant ainsi, vous évoquez une
culpabilité de mon client, alors que rien
ne démontre votre assertion.

– Et votre client évoque une situation
financière qui serait la mienne sans rien
connaître de mes revenus. Alors, si vous le
voulez bien, maître, gardez vos remarques
pour plus tard. Reprenons, monsieur
Boistrancourt ! Quand êtes-vous parti ?

– De Boistrancourt, je vous prie ! Eh
bien, c'est très simple. Il vous suffit de
vérifier sur mon ticket d'embarquement. Il
doit se trouver parmi les documents dont
vous m'avez délesté avant de me placer en
cellule.

Rieulay décrocha le téléphone et pria son
interlocuteur de lui rapporter le produit de
la « fouille ».

Quentin inventoria les documents. Une
date et une heure sur une première fiche.
Orly-Biarritz, départ 09 h 45, le 15 avril
– arrivée 11 heures. Le second carton indi-

quait Biarritz-Orly, départ 14 heures, le 25 avril – arrivée 15 h 20.

Un rapide calcul mental le laissa interdit. Certes, ils allaient vérifier toutes les affirmations, mais si Boistrancourt disait vrai, il se pouvait qu'il ne fût pas présent au moment où le corps d'Açelya avait été déposé dans le coffre de la Ford. Le témoignage de Louise Bouhon, la sourde et malentendante, tombait à l'eau et la piste Boistrancourt devenait une erreur de « jugement ».

Restait le cas de l'Audi A4. Se pouvait-il qu'il ait vendu le véhicule entre-temps ? Un acheteur ne transmettait pas toujours l'imprimé de cession à la préfecture, et l'ancien propriétaire restait seul identifié. Peut-être était-ce le cas ? On allait le savoir en lui demandant si elle lui appartenait toujours. Qui donc la conduisait alors ?

Et les résultats du labo ne lui étaient toujours pas parvenus. Et Fontaine qui lui reprochait son coup de gueule ! Maligny avait procédé à un prélèvement buccal sur la personne de Boistrancourt. Le responsable du Laboratoire de police scientifique avait promis à la Crim' de faire diligence et de traiter les échantillons en priorité.

Fergeac présenta les tickets à son procédurier. Lui aussi devait mentalement se remémorer les dates. Pas besoin de regards entre eux pour confirmer leur conclusion : ils avaient fait chou blanc.

– Possédez-vous une voiture ? reprit Fergeac.

– Une Audi, mais ne me demandez pas son numéro, je n'ai jamais su le retenir avec leur nouvelle formule d'identification. Vous n'aurez qu'à vérifier sur le certificat d'immatriculation.

– Où se trouve-t-elle actuellement ?

– Là où je l'ai laissée avant de partir, c'est-à-dire sur le parking du restaurant McDonald's. Il s'agit d'une tolérance que m'accorde le responsable de cet établissement.

– Vous arrive-t-il de prêter cette voiture ? Qui la conduit en votre absence ?

– Pourquoi voudriez-vous que j'agisse ainsi ?

– Parce que ce véhicule a été verbalisé, il y a quelques jours, pour mauvais stationnement dans une rue du Premier arrondissement.

Stupéfait, le témoin se redressa sur sa chaise.

– Comment est-ce possible ?

– C'est justement ce que je vous demande, rétorqua Fergeac. Qui utilise votre véhicule en votre absence ?

– Je pense que vous affectez de ne pas me comprendre. Il me semble vous avoir déjà répondu.

– Comment vous êtes-vous rendu à l'aéroport, en partant ?

– Par la même compagnie de taxi qui m'a ramené chez moi.

L'arrivée soudaine de Féraud interrompit l'audition. Un signe de tête à l'endroit de Quentin l'invita à le rejoindre dans le couloir.

Pompon semblait dans tous ses états.

– On vient de retrouver la petite Graincourt.

Quentin écarquilla les yeux et demeura bouche bée, redoutant la suite.

– Et elle est vivante, ajouta Féraud.

42

Pompon slalomait entre les voitures, gyrophare tournoyant et deux-tons hurlant, comptant sur les réflexes des conducteurs qui s'écartaient devant lui. Le stage de conduite rapide qu'il avait validé l'année précédente lui était aujourd'hui d'un grand secours. À ses côtés, Fergeac se contentait de crisper ses muscles sans émettre le moindre commentaire. La confiance était la règle entre partenaires.

On avait précipité la fin de la déposition, mais maintenu la mesure de garde à vue. Féraud tenait le renseignement de la bouche même de madame Graincourt. L'hôpital l'avait appelée et elle venait de relayer l'information avant de se rendre sur place.

« J'aurais tellement aimé lui communiquer moi-même la bonne nouvelle », avait espéré Fergeac qui n'avait pas manqué d'aviser le commissaire Louvel avant de filer à l'hôpital de Versailles, au Chesnay, où Jessica avait été admise.

Le téléphone sonna. Quentin établit la communication et reconnut la voix d'Émilie.

– Tu avais bien senti le coup avec l'Audi. Le labo vient de nous appeler. L'ADN isolé à partir des prélèvements effectués dans le coffre est compatible avec celui d'Açelya. Ils ont comparé avec une brosse à dents qu'on leur avait transmise. La gamine a bien été transportée dans la voiture de Boistrancourt.

– Sauf qu'*a priori*, il se trouvait à Biarritz à ce moment-là, répliqua Fergeac, désappointé.

– Tu opposes une donnée fiable à une autre qui ne l'est pas.

– Explique-toi !

Émilie souffla comme si l'évidence s'imposait.

– Tu te fies au jour et à l'heure de son départ en avion puisque tu possèdes son ticket d'embarquement. Mais la légiste n'a pas encore su déterminer avec exactitude l'heure de la mort de la petite Bozkir. Je te concède que ce n'est pas facile à cause du nombre de jours écoulés depuis sa découverte.

– Tu pourrais avoir en partie raison sur ce point, mais Pompon m'a dit que Jessica avait été retrouvée hier soir, aux alentours de 23 heures. Or Boistrancourt est rentré le lendemain à Paris vers 15 h 20. Pas besoin de te faire un dessin : il n'a rien à voir dans l'affaire de Jessica, et donc peu de risque qu'il y soit pour quelque chose dans celle d'Açelya, puisque les gamines étaient ensemble. Mais on va tout passer au crible. Crois-moi, je ne vais rien négliger.

Rieulay se présenta à la brigade de gendarmerie de la commune de Magny-les-Hameaux. Jessica avait été retrouvée à proximité de cette localité des Yvelines. Lennon, Buteaux, Fontaine et Maligny faisaient partie de l'équipée.

– Je suis le major Rodriguez. J'ai demandé au témoin de vous attendre dans un bureau.

– Vous pouvez nous y conduire ? demanda Paluches.

Quelques instants plus tard, Rieulay enregistrait les déclarations de Morgan Thieury, la trentaine athlétique, les cheveux en brosse, habillé de vêtements kaki.

– Je suis pompier professionnel et j'étais venu avec un copain tester pendant quelques jours les plans d'eau de la région, les étangs de Romainville.

– Et où est votre copain ?

– Il est resté sur place pour garder notre matériel.

– C'est vous qui avez découvert le corps ?

– Oui. On s'était installé pour la nuit près d'un étang. Une voiture s'est arrêtée à une soixantaine de mètres de nous. Le conducteur avait éteint ses phares, mais il avait laissé tourner son moteur. J'ai cru dans un premier temps qu'il s'agissait d'un pêcheur de carpes.

– Qu'est-ce qui vous a fait penser cela ?

– Je suis moi-même carpiste. On évite toujours d'éclairer la surface de l'eau, la nuit. Un homme a ouvert la porte arrière du coffre. Il en a tiré quelque chose. On aurait dit un tapis roulé. Il l'a balancé dans l'étang et il est parti aussitôt en poussant son moteur à fond.

– Qu'est-ce que vous avez fait ?

– Encore un qui prend la nature pour une poubelle, je m'suis dit. Je ne voulais pas qu'on mette ça sur notre compte. Je suis allé voir ce que le type avait abandonné. Après avoir allumé ma frontale, j'ai tout de suite compris ma méprise. Il s'agissait du corps d'une jeune fille que j'ai cru morte. Elle ne bougeait plus. Elle était vêtue d'une salopette négligée. Ses membres étaient encore chauds. Je lui ai trouvé un pouls filant, alors j'ai pratiqué les premières mesures de respiration. J'ai appelé mon copain et nous avons prévenu les secours.

– Elle a dit quelque chose ?

– Non. Elle est toujours restée inconsciente.

– Vous avez parlé d'un homme.

– Oui. Par rapport à la taille. Et aussi à la vitesse avec laquelle il s'est débarrassé du corps. Je ne vois pas une femme agir ainsi.

– Vous pouvez le décrire ?

Thieury hocha la tête, une moue de doute sur les lèvres.

– Il faisait sombre. Le type était grand. Je m'en suis rendu compte quand il s'est redressé.

– Vous avez remarqué quelqu'un d'autre avec lui ?

– Je pense qu'il était seul. En effet, c'est lui qui a repris le volant.

– Ça ne veut rien dire.

– Si ! La lampe du plafonnier s'est allumée quand il a ouvert la porte et je n'ai pas vu d'autre silhouette à l'intérieur.

– Vous avez une idée de la marque de la voiture ?

– Pratiquement sûr et certain qu'il s'agissait d'un 4 x 4 Suzuki.

– On va se rendre sur place. Vous allez nous montrer l'endroit. Vous croyez qu'il vous a aperçu ? Vous m'avez dit qu'il était parti très rapidement.

– Honnêtement, je ne le pense pas. Nos *biwy* se confondent avec la nature. On a pour principe d'être en immersion totale.

– Vos quoi ?

– Nos tentes. Vous vous rendrez mieux compte tout à l'heure.

Une vingtaine de minutes plus tard, Rieulay toujours suivi de Lennon, du gendarme et de l'équipe de l'Identité judiciaire, prenait possession des lieux. Le second pêcheur se tenait debout derrière une batterie de cannes posées sur deux *rodpods*. Une tente-parapluie et une autre plus grande abritaient *bed-chairs*, duvets et plusieurs sacs en toile kaki renforcée, contenant des sachets de bouillettes ainsi que du petit matériel de pêche.

– Donc, vous vous teniez ici ? Vous avez vu la voiture dans quel sens ?

Le pompier indiqua du doigt le bord de la route.

– De ma gauche vers la droite.

– Montrez-moi le chemin que vous avez pris !

La petite troupe longea l'étang jusqu'à l'endroit où le corps avait roulé.

– C'est là.

Fontaine et Buteaux tendirent les bras.

– Restez maintenant en arrière ! Nous allons procéder à nos constatations.

Rieulay se tourna vers le témoin.

– C'est de là-haut que l'individu a jeté le corps ?

Morgan Thieury acquiesça.

– Et c'est l'endroit où il avait stationné son véhicule ?

– Oui, oui.

Maligny grimpa sur le haut du talus. La pente était raide, courte et bien dégagée. Aucun arbuste ne faisait obstacle.

– Il y a des traces de ripages, avec de splendides marques de pneus. Du vrai gâteau !

Quelques bips saccadés retentirent, suivis d'un autre plus régulier. Le pompier s'adressa à Lennon qui n'avait toujours pas prononcé le moindre mot.

– Avez-vous encore besoin de moi ? Un détecteur vient de sonner. C'est le signal d'un départ de carpe.

Fred secoua la tête négativement à l'intention du pêcheur qui partit en courant. Rieulay se rapprocha de lui.

– Je te sens soucieux.

– Je crois qu'on fait fausse route avec Boistrancourt.

– Figure-toi que je me pose la même question.

– Tu as vu son appart' ? Ça pue le fric. Tu le vois s'embarquer avec une gamine ?

– Non. Ni même avoir des complices.

– Et puis, sa bagnole c'est une Audi, pas un 4 x 4 Suzuki.

43

Les deux cubes bleuâtres de l'hôpital André Mignot se découpaient dans un ciel encore lumineux. La nature saluait la bonne nouvelle. Jessica vivait.

Fergeac et son adjoint Féraud retrouvèrent au deuxième étage, Dussaussois, un collègue d'assistance opérationnelle.

– Salut ! Je vous attendais. La mère est auprès de sa fille.

– Quelle chambre ?

– Juste devant toi.

Fergeac frappa discrètement contre la porte avant de l'entrouvrir. La pièce était plongée dans la pénombre, le volet déroulant baissé aux trois quarts. Deux têtes se tournèrent dans sa direction. Madame Graincourt se tenait assise près du lit, la main sur le bras de sa fille. Jessica regarda Quentin, ou plutôt elle devina sa silhouette. Des hématomes violacés lui fermaient en partie les paupières. Les cernes marqués, les pommettes tuméfiées, les joues creusées, le crâne rasé, Jessica sortait de l'enfer.

Madame Graincourt leva les yeux sur Quentin lorsqu'il s'approcha d'elle.

– Il faudrait nous laisser seuls quelques instants avec votre fille.

– Mais elle est mineure. J'ai le droit de rester.

– Bien sûr. Mais croyez-moi. Ça vaut mieux.

– Si vous pensez que c'est nécessaire, admit-elle en se levant de sa chaise.

– Pas nécessaire, seulement souhaitable.

Madame Graincourt quitta la chambre d'un pas résigné. Quentin prit sa place sur la chaise, tandis que Féraud et Dussaussois se rapprochaient du lit.

– Comment vas-tu, Jessica ? Je suis policier.

– Mal partout ! Où est Açelya ?

Sa mère ne lui avait donc rien dit !

Quelle décision prendre ? Quelle attitude adopter ? Comment Jessica pourrait-elle lui faire confiance par la suite s'il commençait déjà à lui mentir ?

L'adolescente devina un problème. Elle répéta sa question.

– Je vous ai demandé où était Açelya.

– Elle n'a pas eu autant de chance que toi.

Jessica laissa retomber sa tête en arrière et se mordit le poing en même temps que des larmes inondaient son visage. Son bras était couvert d'hématomes. Les crispations nerveuses provoquées par ses sanglots lui arrachaient de petits cris de douleur. Elle pleura longtemps puis réussit à se calmer et regarda Quentin.

– Vous l'avez arrêté ?

– Pas encore, mais tu vas nous y aider. Raconte-moi !

Jessica renfonça sa tête dans l'oreiller, puis ferma les yeux. Comment pouvait-on lui imposer de revivre son traumatisme ?

Enfouir à tout jamais cet épisode tragique. Considérer qu'il n'avait jamais existé. Prétendre que tout n'était qu'invention, que mauvais souvenir, que mensonge, qu'affabulation...

Les paupières toujours closes, Jessica hésita longuement avant de raconter le calvaire de sa séquestration, récit entrecoupé de pauses, de larmes. Elle tremblait de rage. Fergeac, Féraud et Dussaussois échangeaient des regards stupéfaits, les sourcils froncés, en écoutant la litanie de ses souffrances.

Jessica se tut. Dans un premier temps, les policiers n'osèrent pas briser son silence. Puis Fergeac rapprocha sa chaise.

– Tu es une fille courageuse. Finalement, ça vaut mieux que tu n'aies pas réussi à l'embrocher. Il n'aurait jamais pu nous expliquer pourquoi il s'en est pris à vous deux. Il faudra qu'il parle. Sa version, ses raisons et ses aveux te permettront de surmonter cette épreuve.

– Vous allez arrêter ce salaud ?

– Tu peux nous faire confiance. On ne lâchera rien. Tu dis qu'il n'a jamais prononcé un seul mot ?

– Jamais !

– D'après ton récit, il ne t'a pas touchée ? Il ne s'est jamais livré à de sales gestes ?

– C'était un obsédé. J'étais toute nue. Il devait mater.

– Il portait toujours une cagoule ? Donc, il ne voulait pas que tu le reconnaisses. Ça pourrait être quelqu'un de ton entourage ?

– Pour me faire autant de mal ? Ça va pas, non ?

– Tu as une idée de sa taille ?

– Plutôt grand. Il avait une lampe frontale allumée quand il venait dans la cave. Ça m'éblouissait.

– Il t'a fait prendre un bain. Il t'a donc menée quelque part. C'était toujours dans le même endroit ?

– Oui.

– Tu peux me parler de sons, de bruits que tu aurais pu entendre, d'odeurs que tu aurais pu sentir ?

– Non. Jamais rien entendu. Je suis
montée avec lui à l'étage, jusqu'à une salle
de bain. J'ai senti le revêtement sur le
mur de l'escalier en frottant mon coude
dessus. On aurait dit de la moquette. Et la
rambarde était lisse, comme du métal. Les
marches, on aurait dit du verre. J'ai bien
senti. J'étais pieds nus.

Jessica tordit son drap dans tous les
sens. Ses jambes s'agitaient.

– Tu sais pourquoi il a voulu que tu
prennes un bain ?

L'adolescente porta instinctivement une
main à son cou.

– J'ai pensé qu'il allait me noyer, mais il
ne l'a pas fait. Je me suis dit qu'il voulait
peut-être que je sois propre avant de me
relâcher.

– Ou enlever toute trace de son ADN
sur toi. Reparle-moi du moment où tu l'as
piqué avec la fourche. Tu penses l'avoir
blessé ?

Jessica se mit à trembler, inquiétant
Quentin. Son corps était secoué de soubresauts. Ses poignets s'agitaient en saccades
convulsives. Sans doute revivait-elle ce
moment de tension extrême où l'on va basculer de l'état de victime à celui de tueur.
Il rapprocha encore sa chaise, jusqu'à toucher le lit et posa sa main sur le bras de

Jessica. Elle le retira vivement comme si un tison venait de la brûler.

« Mon Dieu ! pensa Quentin. Le moindre contact étranger lui est devenu insupportable ».

– N'aie plus peur ! Nous sommes là pour t'aider. Aie confiance en nous. Je te demandais si tu pensais l'avoir blessé.

– J'ai senti que la fourche s'enfonçait dans quelque chose, mais ce malade m'a serré le cou juste après. Il avait encore toute ses forces et il n'avait pas crié.

Ses bras s'agitèrent. Elle tourna la tête plusieurs fois.

– Si, si. Je me souviens. Je l'ai touché, ce fou. J'avais un crochet dans ma main et il était à genoux sur moi. Je me suis retournée. J'ai fait comme ça…

Le bras de Jessica fouetta l'air. Un rictus de douleur apparut sur son visage.

– J'ai bien senti que la pointe arrachait quelque chose.

– Son vêtement ?

– Non. Non ! Sa peau.

– Et tu l'as entendu crier ?

– Il a hurlé. Bien fait pour sa gueule ! Après, je ne me souviens plus de rien.

Quentin sentit son cœur s'emballer.

– Tu as une idée de l'endroit où tu l'as touché ?

– À la tête. Il était à quatre pattes sur moi. J'ai fait comme ça...

Jessica renouvela son geste.

Fergeac se tourna vers Féraud, en affichant une moue de désappointement.

Boistrancourt ne portait pas la moindre plaie ni sur le visage ni sur le cou.

44

Sur le trajet de retour, Quentin ressassa à haute voix sa déception. À mesure qu'ils s'approchaient de Paris, la circulation devenait plus difficile. On roulait par à-coups avec des ralentissements inexpliqués. Les motards en profitaient pour zigzaguer en frôlant les rétroviseurs.

– Et dire que je m'étais étonné de voir le Parquet nous saisir de la découverte du corps de la petite Bozkir !

– Je me souviens de tes commentaires alors, répondit Pompon.

– Ouais. Une affaire qui paraissait trop simple.

– Ça en prenait la tournure.

– L'arrestation de l'Indien, celle de Peyrefort...

– Le cheveu sur le corps d'Açelya...

– ...Et tout s'est enchaîné, pour en revenir au même point.

– Peut-être pas, suggéra Féraud dont la conduite au volant s'était assagie. Je n'abandonne pas la piste de Vlaminck.

– Pour Açelya, pas pour Jessica.

– Justement. Qui te dit qu'il n'avait pas un complice ?

– Alors qui ?

– Un mec plutôt grand, blessé au visage. On connaît son environnement. Une maison. Un intérieur moderne, des escaliers en verre, une rambarde en métal. Et il roule en 4 x 4 Suzuki d'après l'info que nous a balancée Paluches. C'est plutôt pas mal, non ?

– Et ce mec n'est pas Boistrancourt, conclut Quentin. Donc retour à la case départ.

Une surprise de taille attendait Fergeac à la « Boîte ».

– Vous allez tomber sur le cul tous les deux, claironna Émilie en prolongeant le suspense par un silence pesant.

– Tu as quelque chose ?

– Ah, ça oui !

– Accouche !

– Les résultats viennent de nous parvenir à l'instant. La vomissure trouvée contre l'arbre à proximité de la Ford, provient de l'estomac de... ?

– Fais chier, râla Pompon, allez crache le morceau !

– Boistrancourt.

– Impossible !

Émilie bomba le torse, le menton relevé en signe de défi.

– Et depuis quand la Crim' ne fait-elle plus confiance à la preuve par l'ADN ?

– Depuis l'audition de la jeune Graincourt, répliqua Fergeac. Elle a balafré son geôlier au visage. Tu as vu la tronche de Boistrancourt. Il porte une blessure ? Non ! Alors, explique-moi comment son ADN se retrouverait lié au meurtre de Bozkir !

– Eh bien ! moi, je suis bête et disciplinée.

– Comme toutes les femmes, répliqua Pompon.

– Oh, toi, ta gueule !

– Putain ! Ma tête va exploser, dit Quentin en se massant les tempes et en se tournant vers Féraud. Rameute la troupe !

Quelques instants plus tard, le groupe Fergeac se tassait dans le bureau de Quentin.

– On a jusqu'à demain, seize heures. Fin de la garde à vue de Boistrancourt. Ce n'est pas à vous que je vais apprendre le droit. Impossible de demander une prolong'. Il faudrait que je vise des indices graves et concordants de culpabilité. Autrement dit, reconnaître que j'ai violé les droits de la défense.

– Et qu'est-ce que ça serait si tu nous faisais un cours de droit ? releva Pompon en souriant.

– C'est pas le moment ! Bon ! Lennon, tu t'occupes de la déposition du chauffeur de taxi qui a ramené Boistrancourt. Il me faut aussi celle du type qui l'a conduit à l'aéroport.

– Pas de problème. J'avais relevé l'immat' du taxi.

– Michel, vérifie la présence de Boistrancourt à Biarritz. Hôtel du Palais, casino, agence Hertz...

– D'accord. Je vais leur balancer la photo par portable. Je fais la même chose pour Vernoy ?

– Ouais ! Ça fermera les portes.

– Émilie, à toi l'analyse du GPS de l'Audi. Paluches, appels entrants et sortants sur le téléphone de Boistrancourt. Allez, filez ! Je ne veux plus voir l'un d'entre vous ici !

45

Quentin fit monter des sandwiches et de quoi les éponger. Ce soir, les épouses et les petites copines pourraient choisir librement leur programme télévisé préféré. Quant à savoir qui attendait Émilie Férain, le mystère n'avait jamais été percé par les membres de l'équipe.

Solau fut le premier à venir au rapport.

– Le réceptionniste de l'Hôtel du Palais a refusé de me communiquer les renseignements par téléphone.

– Ça t'étonne ?

– J'ai dû passer par un collègue du commissariat de Biarritz. Il a voulu que je lui faxe la CR.

– S'ils s'y mettent, eux aussi…

– Confirmation de la présence de Bois-trancourt.

– Et les dates d'hébergement ?

– Elles collent avec celles de l'aéroport.

– Aïe ! Pas bon pour nous.

– Je suis allé mater l'hôtel sur internet. Un des plus beaux d'Europe. Tu verrais le site, c'est à tomber par terre.

– Tu crois que j'ai le temps ? Bon ! Et le casino ?

– Même problème. Ils refusaient par téléphone. Je suis passé par le correspondant à Bordeaux du Service central des courses et des jeux… Là aussi, un collègue est venu à ma rescousse. Le physionomiste a effectivement confirmé la présence à plusieurs reprises de Boistrancourt. La photographie correspond. Il s'agit bien de notre homme.

– Et chez Hertz ?

– Ils sont moins pointilleux. Boistrancourt a bien loué la Giulietta le jour où il est arrivé.

– Il n'avait donc pas réservé à distance ?

– Ben non !

– Bizarre ! Moi j'aurais pensé que ce genre de type prévoyait tout à l'avance.

Michel Solau venait à peine de quitter le bureau que le téléphone de Fergeac se mit à sonner. Émilie s'annonça.

Quentin poussa un soupir de satisfaction. Sacrée équipe ! Le rouleau compresseur était en marche.

– Annonce-moi quelque chose d'intéressant !

– Tu ne vas pas être déçu. Le type qui conduisait l'Audi est celui qui a tué la petite Bozkir. Maintenant, pour savoir de qui il s'agit… ?

– Raconte !

– J'ai analysé la mémoire du GPS, dont le dernier parcours à partir de l'avenue Victor-Hugo, dans le XVIe.

– Elle coupe la rue Saint-Didier, commenta Fergeac.

– Exact ! C'est là que se trouve le McDo. Tu te souviens de ce qu'a dit Boistrancourt ?

– Au sujet de sa tire ?

– Ouais. C'est là qu'il gare sa bagnole.

– Super ! On vérifie les caméras.

– Problème. Il n'y en a pas.

– Merde !

– Attends. J'ai une autre info.

– Qu'est-ce que tu as trouvé ?

– Tu vas te régaler. La rue Lolive à Montreuil, ça te dit quelque chose ? Et les Champs-Galottes à Rosny, ça te parle aussi ?

– Bon Dieu ! Alors, Bouhon ne s'est pas trompée.

– On va visionner à nouveau toutes les bandes du *Première Classe* et des rues adjacentes au cimetière. Cette fois en visant l'Audi.

– Bon travail, Émilie. Super boulot !

Quentin posa son portable sur le bureau et joignit ses mains derrière la nuque, en s'étirant. Une certaine tension l'habitait. Il connaissait bien cette montée d'adrénaline, celle qui prélude à la chasse à courre. Le tueur ne se comportait-il pas comme une bête sauvage et sanguinaire ? Ils allaient fondre sur lui pour pouvoir éprouver cette fois l'adrénaline de l'hallali. La police de papa avait survécu grâce à la technologie et à l'objectivité de la recherche scientifique. Bienvenue aux caméras de surveillance, aux laboratoires, aux armes modernes pour « chasser » dans de meilleures conditions.

Mais il faudrait toujours des hommes pour analyser les résultats.

Des hommes aussi pour les contredire.

La preuve par l'ADN pouvait-elle montrer ses limites ? Que penser du résultat de la vomissure trouvée près de la Ford ? Les résidus gastriques appartenaient bien à Boistrancourt ? D'accord ! Sauf que ledit Boistrancourt se trouvait à près de huit cents kilomètres de l'endroit où il aurait soi-disant éructé le contenu de son estomac !

Mais faudrait-il encore expliquer ces contradictions, mirages ou miracles.

Lui, Quentin Fergeac, chef de groupe à la Crim', allait s'y atteler et trouver.

Ils s'étaient tous réunis dans le bureau des ripeurs pour une rapide collation, moment propice au tour de table pour libérer les échanges.

– Pour moi, c'est une erreur du labo, se risqua Féraud en essayant d'ôter un peu de gras de jambon coincé entre ses dents.

– C'est rarement le cas, répondit Quentin.

– N'empêche que ça arrive, confirma Lennon.

– Eh bien ! moi, j'y crois, renchérit Pompon. Vous vous imaginez un peu ce mec à particule, se conduire comme un truand de bas étage, tuer une gamine, en enlever une autre et tenter de l'assassiner ? Pour quel motif ? Je vous le demande.

– Pas pour le cul, répondit Paluches en décapsulant une bière.

Fred lui emboîta le pas.

– Ni pour une rançon.

– Alors pour quoi ? reprit Féraud. Un type qui peut se permettre de descendre dans des hôtels qui comptent plus d'étoiles que la Voie lactée sans la moindre activité professionnelle et qui vit de ses rentes. Pourquoi s'en prendrait-il à deux lesbiennes ?

– Et s'il était là, son problème ? rétorqua Émilie.

– Qu'est-ce qu'il irait faire avec des gouines ? reprit Pompon.

– On en a assez soupé des manifs contre le mariage pour tous, des cathos au cul serré et de leurs slogans à la con. À ne voir que le côté bestial de la chose, à rabaisser l'être humain au rang d'animal, à focaliser uniquement sur l'acte. Et l'amour dans tout ça, merde ?

Des regards s'échangèrent à la dérobée. Férain en serait-elle ?

– Tu sais très bien que le problème est ailleurs, rajouta Pompon en se lissant les sourcils. Oublierais-tu les droits qui découlent désormais du mariage ? Mets-toi un peu à la place des gosses ! Balancés entre papa et papa. Où est la référence au sexe ?

– Et pourquoi tout ramener encore une fois à la différence ? s'étouffa Émilie. Moi, je te parle de l'amour que l'enfant va recevoir, et de rien d'autre.

– Et moi, de la norme.

– Ça y est ! Le grand mot est lâché. Faire référence à la norme, c'est tout simplement stagner, se racornir mentalement, s'ankyloser l'esprit…

– Comme tu y vas !

– Il a fallu des peintres comme Cézanne ou Picasso pour casser la norme et parvenir à l'art moderne, des poètes comme Apollinaire pour ses essais de calligrammes, de versification sans ponctuation, de sculpteurs comme Calder, et je n'aborde même pas la musique ou l'architecture... Est-ce que le monde aurait progressé sans les transgressions ? Mais je perds peut-être mon temps à discuter avec des primates.

Féraud se tortillait sur sa chaise tandis que Rieulay froissait d'un geste rageur l'enveloppe métallique de sa cannette. Michel Solau ne cessait de sortir et de rentrer la mine de son stylo-bille. Ce cliquetis continu ne risquait pas de la calmer. Lennon secouait la tête dans tous les sens. « Mais qu'est-ce qu'elle racontait la Férain ! »

La tension montait d'un cran. Trop de passion éloignait de l'affaire ! Fallait fédérer toutes les énergies ! Pas les opposer !

Fergeac sentit le moment d'intervenir.

– Paluches, tu en es où de tes réquises ?

– Toujours pas de réponses !

– Émilie, relance les Télécoms ! Ça traîne trop et ça nous bloque. Prends mon bureau, tu y seras plus à l'aise !

Émilie quitta la pièce en fulminant. « Tous pareils, les mecs ! »

– Il y a quand même quelque chose qui me perturbe, pour en revenir à ce que tu disais, Pompon, s'inquiéta Lennon.

– Accouche !

– On s'est contenté de rechercher ce qui avait trait aux deux filles quand on a perquisitionné chez Boistrancourt, des fringues, des téléphones, des objets qui pouvaient leur appartenir. On s'est focalisé là-dessus sans se pencher sur le passé de notre client. Ses paperasses ont été laissées de côté. Il faudrait qu'on y retourne.

– Malheureusement, trop tard pour ce soir, répondit Quentin. On vient de dépasser l'heure légale.

Clément Rieulay savoura une dernière bière, les jambes tendues, les pieds sur le bureau, avant de se replonger dans les actes de la procédure, de relire attentivement et minutieusement chaque procès-verbal. Cette tâche était dévolue à lui seul, en sa qualité de procédurier du groupe.

– Il faudra que tu songes à rectifier le prénom du nobliau sur ton PV d'interpellation, ajouta-t-il en tournant la tête vers Féraud. Tu as intercalé un « h » dans le prénom de Jean.

– Parce que j'ai recopié son identité à partir de son permis de conduire. Tu peux vérifier, il se trouve dans sa fouille.

– Laisse ! J'y vais, annonça un Fergeac intrigué.

Quentin se rendit dans le bureau du procédurier et farfouilla dans la boîte où avait été vidé le contenu des poches de Boistrancourt. Il déplia les trois volets du portefeuille. Sur le permis de conduire plastifié, un « h » figurait bien dans le prénom. Il examina l'orthographe de la carte d'identité où la lettre avait disparu. La perspicacité de Rieulay n'avait pas été prise en défaut.

Quentin lut les tickets d'embarquement qui s'étalaient dans le fond de la boîte. Eux aussi présentaient la même orthographe, un prénom sans « h ». Un détail le troubla. Le lieu de naissance indiquait la localité de Gazeran, dans les Yvelines.

– Qu'est-ce que tu fais ?

Féraud venait de le rejoindre.

– Une vérif'.

Quentin prit place derrière l'ordinateur et ouvrit un moteur de recherches. Les images du bourg s'affichèrent : une petite commune d'un peu plus d'un millier d'âmes, avec sa mairie, son monument aux morts, son lavoir et sa salle des fêtes. Et une indication géographique intéressante. Gazeran n'était distant de Rambouillet que de cinq petits kilomètres, proche de l'endroit où Jessica avait été découverte.

Inquiet, il consulta sa montre. Vingt-deux heures. Plus d'espoir de trouver la mairie ouverte.

– Tu cherches quoi ?

– Je voulais vérifier son lieu de naissance.

– Les registres d'état civil ?

– Pour l'orthographe.

– Tu vas téléphoner ?

– À quoi bon ! Tu as vu l'heure.

– On est vendredi. Tu n'as jamais entendu parler de réunions du conseil municipal ? Qu'est-ce qu'on risque ? À défaut, on pourra toujours taper les collègues de Rambouillet pour aller réveiller le maire sur place.

Sceptique, Fergeac s'exécuta. Une sonnerie lancinante, puis l'enclenchement d'un répondeur...

– Essaie encore une fois, insista Pompon. Ils sont peut-être dans une autre salle.

– Allô ?

– Bonsoir ! Je suis policier au quai des Orfèvres, et j'aurais besoin d'un renseignement de toute urgence, dans le cadre d'une affaire criminelle de la plus haute importance. À qui ai-je l'honneur ?

– Je suis le secrétaire de mairie. Nous sommes en pleine réunion du conseil. Je suppose que vous souhaitez parler à monsieur le maire ?

– Si c'est possible !

– Ne quittez pas !

– Bonsoir, Jean Paget. Je suis le maire de la commune. Que se passe-t-il ?

Fergeac renouvela sa demande.

– Et que voudriez-vous savoir ?

– Juste une vérification d'état civil concernant le sieur Jean de Boistrancourt.

46

À l'exception d'Émilie, restée à Paris pour gérer les gardes à vue, le groupe Fergeac au grand complet avait pris possession des abords du manoir, assisté d'une vingtaine de gendarmes pour leur compétence territoriale. L'État-major du « 36 » avait obtenu les renforts nécessaires. Les véhicules de service avaient été abandonnés suffisamment loin du champ des opérations, pour ne pas attirer l'attention sur les manœuvres en cours. Policiers et gendarmes avaient donc progressé à pied jusqu'au parc de l'imposante bâtisse et à ses aménagements annexes.

Quentin, les traits tirés par le manque de sommeil, faisait des va-et-vient aussi inutiles qu'impatients entre les marronniers centenaires derrière lesquels il s'était replié avec le commissaire Louvel, à l'abri des regards.

– Ne t'énerve pas ! lui conseillait son supérieur.

La conclusion était proche. En cas de réussite, le solde des heures de la garde à vue de Boistrancourt permettrait à peine de transcrire les derniers actes. L'interpellation du nouveau suspect, la perquisition, les saisies. Un travail trop important pour être mené à bien en si peu de temps ! Et puis la présentation au juge d'instruction Bonnevey. Au commissaire Louvel, la rédaction du rapport et la charge d'exposer l'affaire au magistrat.

À tout seigneur, tout honneur !

Fergeac ne s'offusquait pas de passer ainsi au second plan. Cela faisait partie des règles.

– C'est quand même agréable de venir au monde avec une cuillère en argent dans la bouche, tu ne trouves pas ? demanda Quentin à Louvel en admirant l'architecture du château.

Son chef de section se contenta de hausser les épaules.

– À chacun son monde !

Un cours d'eau, « la Gueville », dont ils avaient lu le nom sur un panneau à l'entrée du hameau du Gâteau, serpentait à travers une prairie à l'arrière de la demeure. De hautes fenêtres donnaient sur une allée arborée, alignées avec symétrie sur une façade de briques aux arêtes de pierre. Dans la brume, un voile diaphane auréolait d'une teinte grisâtre la base du manoir, donnant l'illusion qu'il flottait au-dessus d'une mer étale.

Sur un flanc, les communs témoignaient du lustre d'antan par le nombre de boxes et d'écuries aujourd'hui inoccupés. Les bâtiments ne semblaient pas à l'abandon.

Aucune lumière ne filtrait.

Quentin, nerveux, raclait le sol du pied comme un pur-sang rongeant son frein sur la ligne de départ. Des senteurs d'humus et de chlorophylle émanaient de la terre.

– N'empêche, ça ne me déplairait pas de jouer parfois à la vie de châtelain, reprit Fergeac. Quelle propriété !

Louvel consulta sa montre du regard. La trotteuse venait de dépasser six heures du matin de quelques secondes.

– Top pour tous, commanda-t-il. Engagez l'action !

La radio crachouilla l'ordre qui se prolongea en écho dans tous les récepteurs.

Féraud courut rapidement avec quelques gendarmes vers l'entrée principale du château, imité par Solau à la tête d'un autre groupe. Ils parvinrent en même temps de chaque côté du perron pour se retrouver sur la plate-forme. Fergeac savait que, sur l'arrière, Lennon avait également investi le terrain. Rieulay s'était vu confier l'intervention dans un bâtiment secondaire, au milieu des écuries, dont la façade avait dû être réhabilitée récemment. Un crépi neuf et des poutres repeintes tranchaient avec le reste des murs.

Les coups sourds et saccadés des béliers contre les portes d'entrée de la demeure et des locaux annexes se répondirent aussitôt. Le cri *Police !* interpella le silence avant que les groupes constitués ne se ruent à l'intérieur.

Louvel et Fergeac s'apprêtaient à pénétrer dans l'habitation principale quand un appel radio les interrompit.

« Interpellation et neutralisation du suspect dans les bâtiments annexes. »

Un gendarme s'agitait en leur adressant un signe sur le perron.

– Par ici, monsieur le divisionnaire, indiqua-t-il d'un ton déférent, presque obséquieux, à l'intention du commissaire Louvel. C'est à l'étage.

Fergeac oublia les règles de préséance et s'engouffra le premier dans les escaliers dont les marches de verre fléchissaient légèrement sous son poids. Il progressa en s'aidant de la rambarde en acier inoxydable. Viot, un jeune gardien de la paix, lui indiqua la chambre d'où provenait l'agitation.

L'homme entravé, les bras derrière le dos et maintenu allongé au sol par Paluches, tourna son visage vers Quentin.

Le clone du gardé à vue !

Une copie parfaite.

Un vrai jumeau.

47

– Relevez-le ! ordonna Fergeac qui remarqua aussitôt le pansement qui barrait le cou de cet autre Boistrancourt.

Bien sûr, il connaissait déjà la réponse, mais il se devait de poser néanmoins la question.

– Votre nom ?

– Je m'appelle Jean de Boistrancourt, et je vous saurais gré de bien vouloir m'expliquer le motif de votre intrusion chez moi, surtout dans des conditions aussi inadmissibles.

Fergeac tendit la main provoquant un mouvement de recul instinctif chez Boistrancourt. Ses doigts saisirent la bande adhésive qu'il retira violemment, arrachant un cri de douleur à l'homme menotté. Une balafre suintante et dégoulinante déchirait son cou.

– Vous êtes en garde à vue pour des faits d'enlèvement, de séquestration et de tentative d'assassinat.

Quentin signifia verbalement les droits qui s'attachaient à la mesure, mais Boistrancourt refusa de désigner un avocat.

Le commissaire Louvel observait la scène, un sourire de satisfaction aux lèvres.

– Beau travail. Il faut que je rentre au service. J'ai pas mal de coups de fil à donner.

– Tu t'occupes du gardé à vue, ordonna Fergeac en s'adressant au policier Viot. Pour pouvoir jeter un coup d'œil avant de partir explorer les lieux, il faut qu'il nous accompagne comme témoin, au cas où certain avocat s'amuserait à considérer un jour que notre simple visite pouvait passer pour une perquisition. Clément, viens avec nous !

– Quel bordel pour mes constates ! Faudrait au moins être à cinq. Tu vois le boulot ?

– Pompon et Fred vont te donner un coup de main.

– On fait le tour vite fait ?

– Je pense que c'est ici que Jessica a été séquestrée. Rappelle-toi le témoignage de la gamine. Tu décris en priorité les pièces qui nous intéressent. Je pense surtout à la salle de bain, à la montée d'escalier et à la cave. Viens, descendons y jeter un coup d'œil ! Sacrée Jessica. Tout coïncide, même la feutrine murale. Tu as vu !

Quentin s'adressa aux collègues de l'Identité judiciaire venus le rejoindre après avoir été alertés et informés de la situation par le procédurier.

– Buteaux, Fontaine et toi, Maligny, vous allez suivre Rieulay. Il va vous indiquer les endroits où la jeune Graincourt a pu se trouver. Mettez le paquet ! Je vous fais confiance. Mais attendez-nous ici. Clément, allons-y !

Quentin et Paluches s'engagèrent dans un escalier de verre. Ils débouchèrent dans un espace confiné, une sorte de hall absolument vide.

– Regarde ! Encore une porte.

Fergeac appuya sur l'interrupteur extérieur avant de l'ouvrir. Il tendit le bras en travers.

– Ne rentre pas ! On risque de polluer l'endroit. On va maintenant laisser l'IJ opérer.

– Bon sang, ça pue là-dedans, commenta Rieulay en reniflant bruyamment. Il n'y a pas de lit. Ce n'est peut-être pas la bonne pièce.

– Au contraire. Tiens ! Regarde à gauche, les outils. Il y a bien la fourche et là-bas, par terre, des boîtes métalliques. Je suis sûr que nos gars de l'IJ y trouveront les empreintes de Jessica.

– Ça fait froid dans le dos. Toute seule et toute nue, dans le noir, à se demander ce que lui voulait ce cinglé. On remonte, je ne vais pas tarder à gerber !

Michel Solau rejoignit Fergeac dans le hall d'entrée.

– Viens voir dehors ! Boistrancourt avait commencé à tout faire disparaître. On a retrouvé dans un tas de cendres deux téléphones portables calcinés, des morceaux de tissu et tout un paquet de crochets en fer tordus comme celui que nous avait décrit Jessica, sans oublier l'armature du sommier. Pas de doute. Les montants du lit allaient être enfouis dans un grand trou creusé dans le sol. C'est tout frais.

– Vous êtes allés dans le garage ?

– Il y a deux bagnoles, une Jaguar et un 4 x 4 Suzuki.

– Vois avec un des gars de l'IJ pour les traces de roues !

– Et pour les scellés ? Tu imagines ? Au moins une centaine à faire !

– Pour réaliser les constatations nécessaires à la CR, il nous faut obtenir encore du renfort.

– Je ne m'attendais pas à trouver un jumeau. Ah, il nous a bien baladés, le « deux » Boistrancourt !

– Ils sont faits aux pattes. Pas le temps d'aller jeter un coup d'œil dans le manoir ! C'est dommage. J'aurais bien voulu me rincer l'œil. Faut que je me dépêche de prendre la déposition de Boistrancourt, et j'ai encore cinquante bornes à tirer. Saisis un maximum de paperasses dans la maison. On en aura besoin. Dis à Féraud que je lui confie le chantier.

Fergeac appela Émilie restée au service.

– Tu es au courant des nouvelles ? Oui ? Alors, aide-moi à prendre les devants. Appelle le barreau pour obtenir un avocat nommé d'office. Fais-le venir et retiens-le s'il est en avance. Je ne peux plus me permettre de perdre la moindre minute.

– Ils n'ont même pas le moyen de se payer un avocat de famille avec leur pognon ?

– Justement. C'est là leur stratégie. Je t'explique : si Boistrancourt Premier avait appelé son avocat, car je suppose qu'il en connaît au moins un, il y avait le risque d'apprendre par le baveux qu'il avait un jumeau.

– Et ils ont le même prénom ?

– Apparemment. *Jean* et *Jehan*. À une lettre près, un « h »... inspiré !

– Et pour l'instant, impossible de préciser qui est qui ?

– Voilà ! T'as tout compris.

– Sacré scénario !

Fergeac avait repris sa place favorite, celle de passager avant. Viot servait de chauffeur tandis qu'un second gardien de la paix assurait à l'arrière la surveillance de Boistrancourt. Quentin se retourna.

– Une idée singulière qu'a eue votre père de vous donner le même prénom ? Plutôt bizarre, non ?

La question sembla déstabiliser Boistrancourt. S'attendait-il à un autre commentaire, plus directement en rapport avec l'affaire ?

– Il s'agit d'une tradition dans la famille, pour les garçons. Le premier à naître porte le prénom du père, c'est-à-dire Jean. Le second, celui de l'aïeul.

– Donc Jehan ? Aussi étrange et paradoxal que cela puisse paraître, celui qui sort le premier du ventre de la mère est le plus jeune, au regard de l'état civil. Alors, qui êtes-vous ?

– Jean.

Le passager marqua un léger temps d'arrêt.

– Ou peut-être Jehan ? À vous de nous le dire.

48

Émilie attendait impatiemment le retour de Quentin

– Alors, ces jumeaux ?

– À s'y méprendre. Je ne serais pas étonné que leur mère ait eu parfois des problèmes pour les reconnaître.

– As-tu récupéré son portable ?

– Il se trouve dans sa fouille.

– Je vais taper en urgence une réquise aux Télécoms.

– Et le baveux ?

– Toujours pas arrivé.

– Envoie Boistrancourt II à la signalisation en attendant.

Émilie s'apprêtait à tourner les talons quand elle se ravisa.

– Au fait, on a visionné à nouveau les bandes de la caméra qui donne sur la relève du courrier. Une silhouette pourrait correspondre à un Boistrancourt, mais l'angle de prise de vue n'est pas terrible. Reste ses fringues. Ce serait bien d'en retrouver d'identiques en perquise.

– On est au moins certain d'une chose. Il ne s'agit pas de celui qu'on a interpellé rue Saint-Didier.

Fergeac se rendit dans son bureau et consulta ses fiches. Sûr de lui, il composa un numéro.

– Professeur Lornier ? Je vous dérange peut-être ? Quentin Fergeac de la Crim'. Nous avons été en relation dernièrement pour l'affaire du tueur du canal, comme l'appelaient les journalistes.

– Oui, oui, je me souviens très bien. Comment allez-vous, cher ami ?

– Bien, merci, quoiqu'un peu bousculé aujourd'hui. Pourriez-vous m'affranchir sur deux points ?

– Je vous écoute.

– Des jumeaux monozygotes présentent-ils des empreintes digitales et un ADN identiques ?

L'homme de science émit un petit rire.

– Il y a quelques années, cette discussion entre scientifiques ressemblait à la querelle des Anciens et des Modernes en littérature. Les jumeaux monozygotes sont issus de la scission d'un même œuf. On les appelle vulgairement les vrais jumeaux. Il est donc naturel, ayant le même ADN, qu'ils en possèdent les mêmes caractéristiques, sur le plan de la morphologie, du groupe sanguin comme sur bien d'autres particularités.

– Il serait donc logique de déduire que leurs empreintes digitales sont elles aussi systématiquement identiques.

– En théorie, mais pas dans l'absolu. En effet, ce serait faire abstraction de l'environnement dans lequel baigne le fœtus.

– J'avoue que j'ai du mal à vous suivre, puisqu'ils partagent le même environnement comme vous dites, en l'occurrence l'utérus de la mère.

– Certes, le même endroit de gestation, mais pas la même manière d'occuper les lieux pour les deux fœtus, si je puis m'exprimer ainsi. Que faites-vous de leur position intra-utérine différente, de leurs déplacements, des frottements de leurs doigts sur les parois, de la possibilité que l'un des jumeaux suce son pouce et l'autre pas, des mouvements des mains, du serrage des poings, de la grosseur de leur cordon ombilical ? Les dessins formés par la peau aux extrémités des membres et qu'on nomme dermatoglyphes, se fixent définitivement vers la vingt-quatrième semaine. Entre-temps, toutes ces boucles, ces spirales, ces arches, ces crêtes, ces sillons subissent des modifications résultant des remarques précédentes. Ces deltas et verticilles, autant de termes techniques définis sous l'ère Bertillon, déterminent l'empreinte digitale unique.

– Je vous ai bien compris pour les traces papillaires, mais il est difficile de considérer ces agents modificateurs au regard de l'ADN.

– Détrompez-vous ! Quelques laboratoires à la pointe de la recherche ont réalisé des progrès stupéfiants qui permettent de différencier l'ADN des jumeaux monozygotes.

– Vous m'intéressez.

– Jusqu'à très récemment, en effet, les scientifiques pensaient qu'il était impossible de trouver une différenciation génétique par le fait que ceux qu'on appelait communément les vrais jumeaux possédaient un génome identique. La technique élaborée à travers une autre approche semble désormais faire ses preuves puisque les protocoles de séquençage du génome ont réussi à déceler certaines faibles disparités. Il est bien évident que ces résultats aident désormais les instances judiciaires lors d'enquêtes de ce type. Ai-je répondu à vos interrogations ?

– J'avoue que cet éclairage me regonfle le moral.

– Eh bien, n'hésitez pas à me contacter de nouveau si le besoin s'en faisait sentir, ce sera toujours un plaisir pour moi de pouvoir vous aider.

Rasséréné, Fergeac raccrocha son téléphone en se frottant les mains. S'ils voulaient jouer sur l'ambigüité pour échapper aux poursuites, tout au moins pour l'un d'eux, les frères Boistrancourt allaient devoir compter avec les derniers progrès de la science.

Émilie Férain se pointa dans le bureau de Quentin, et le trouva debout en train de battre la cadence avec ses mains sur ses abdominaux.

– Tu as l'air bien excité !

– C'est de savoir que des techniques récentes de séquençage de l'ADN permettent désormais de différencier avec certitude l'ADN de « vrais » jumeaux. Au téléphone, je viens d'en avoir confirmation par un chercheur. Ne me demande pas d'entrer dans des détails qui me dépassent. Ce sera le boulot des experts qui auront à s'expliquer sur leur méthode auprès des juges. Moi, ce qui me fait flipper, c'est qu'on pourra connaître avec exactitude qui des deux Boistrancourt a tué.

– Celui qui a dégueulé ses tripes.

– Exactement. Et si je n'obtiens pas d'aveux, ce sera juste une question de temps. Un délai de laboratoires. Va me chercher Boistrancourt et son conseil ! Je vous attends ici.

Main tendue, Fergeac accueillit dans son bureau, une avocate, trentenaire, grande et mince, petit nez court, coupe au carré, avec des yeux immenses.

– Bonjour, maître Lamblard, je vais vous demander de vous asseoir derrière monsieur de Boistrancourt, un peu en retrait de ce côté. Dans ma webcam, il est préférable que lui seul apparaisse. Vous, Boistrancourt, approchez-vous de mon bureau et ne bougez plus votre chaise, le temps de mes réglages !

Obéissante, l'avocate rectifiait sa position à mesure que Fergeac déplaçait son ordinateur. Émilie leur fit face.

– Bien, reprit le chef de groupe. Je vous présente la commission rogatoire dont je suis saisi. Prêtez serment et répondez à mes questions. Déclinez votre nom et épelez votre prénom.

– Je m'appelle de Boistrancourt. Jean est mon prénom.

– Je vous ai demandé d'épeler.

– J-e-a-n

– Je ne vais pas répéter deux fois mes questions.

– Ne vous énervez pas !

– Où créchez-vous dans votre monde ?

– Dans les propriétés familiales, au gré de mes envies.

Fergeac tapa du poing sur le bureau. Boistrancourt et son avocate sursautèrent. Émilie aussi.

– Ça va mal finir !

– Rue Saint-Didier.

– Il y a effectivement un prénom ressemblant sur la boîte aux lettres.

– Puisque j'y habite.

– Pour éviter des confusions, comme ce n'est pas aux jumeaux, ni à la famille, ni aux deux Boistrancourt que je m'adresse, mais bien à toi seul, je vais me permettre maintenant de vous tutoyer. Plaît-il ? Qu'est-ce que tu foutais chez ton frère, ce matin ?

– Il était en vacances.

– Et alors ?

– Je gardais la propriété.

– Jessica Graincourt, ce nom te dit quelque chose ?

– Non.

– Tu as ramené cette adolescente au manoir.

– Encore eût-il fallu que je la connusse, et dans quel but, je vous pose la question ?

Une nouvelle fois, Fergeac frappa sur le bureau, main à plat.

– Tu l'as séquestrée.

Boistrancourt resta impassible.

– Tu l'as étranglée.

Haussement de sourcils.

– Tu as jeté son corps dans un étang.

– Vous divaguez !

– Jessica est toujours en vie.

De Boistrancourt sembla accuser le coup en se tassant sur sa chaise, mais il reprit aussitôt son aplomb.

– J'en suis ravi pour elle.

– Tu l'ignorais ?

– Que vous dire sinon que je ne vois pas de qui ni de quoi vous voulez parler.

– Elle nous a décrit le lit, la cave, la montée d'escalier, la salle de bain. Tout concorde avec les constatations faites chez toi.

– Mais de quelle demeure parlez-vous ?

– Et elle t'a balafré au visage. Une blessure en estafilade que tu portes toujours au cou.

Fergeac observait Lamblard à la dérobée. La stupéfaction se lisait sur les traits de l'avocate.

– Puisque vous êtes si sûr de vous, confrontez-moi donc à cette personne. On verra bien si elle me reconnaît.

– Là, tu joues au con avec moi.

– C'est vous qui le dites.

– Je vais te montrer qui finira par être le plus malin de nous deux. Tu crois avoir fait le ménage partout ? Nos équipes techniques procèdent actuellement à des relevés. Tu as pensé aux boîtes métalliques encore sur le sol dans la cave ? À la rampe qui mène à l'étage ? À la feutrine qui recouvre le mur dans l'escalier ? Tu sais pourquoi je t'en parle ? Jessica y a frotté son coude en y laissant des cellules épithéliales. Et je ne te parle même pas des échantillons de terre prélevés près de l'étang où tu as balancé son corps en pensant qu'elle était morte. On en retrouvera des fragments incrustés dans les sculptures des pneumatiques du Suzuki, sois-en sûr. Tu as tenté d'assassiner Jessica Graincourt.

– Vous faites erreur sur toute la ligne.

– Et je t'accuse également d'avoir tué une autre jeune fille, Açelya Bozkir.

Boistrancourt dodelina de la tête, affectant une moue de surprise.

– Rien que ça ? Et quoi encore ?

– On a retrouvé des résidus gastriques à l'endroit où tu as vomi après avoir abandonné le corps. Un ADN y a été isolé et c'est le tien. La concordance est indiscutable.

De Boistrancourt sembla reprendre de la superbe.

— Pour établir des comparaisons, n'eût-il pas fallu que vous eussiez déterminé mon ADN au préalable ? Or, que je sache, ce prélèvement de salive a été réalisé il y a un petit quart d'heure seulement, dans les locaux de l'Identité judiciaire. Vous vous croyez dans des séries américaines pour avoir obtenu un résultat avant même de l'avoir envoyé ?

— Le rapprochement avait déjà été fait avec l'ADN de ton jumeau.

— Autrement dit, Jean ou Jehan serait l'auteur de ce crime ? Eh bien, je vous souhaite beaucoup de chance pour en identifier avec précision le responsable. Vous risquez d'embarrasser le tribunal, ne croyez-vous pas, en présentant deux personnes génétiquement identiques sans pouvoir déterminer qui des deux a fait réellement quoi ? Un jugement n'est pas une loterie. Jamais des jurés ne condamneraient dans ce cas.

— D'abord, tu fais bien de parler de jurés parce que le « tribunal » que tu vas fréquenter s'appelle une cour d'assises, et que ses « jugements », comme tu dis, sont des arrêts. Et ils ne se trompent plus beaucoup dans ces domaines.

Le portable d'Émilie la contraignit à quitter rapidement le bureau. De retour quelques minutes plus tard, la mine réjouie, elle tendit une feuille manuscrite à Fergeac. Quentin la parcourut, puis leva les yeux sur Boistrancourt.

— Tu as reçu un appel téléphonique sur ton portable, le soir où tu t'es débarrassé du corps de Jessica Graincourt. La borne qui a relayé l'appel se situe sur la commune de Magny-les-Hameaux, à quelques encablures des étangs. L'heure correspond, à peu près, au moment où des pêcheurs t'ont aperçu en train de la balancer du haut de la rive. Est-ce utile de te préciser d'où provenait cet appel ? De l'Hôtel du Palais, à Biarritz, le lieu de villégiature de ton jumeau.

Boistrancourt se tassa un peu plus sur sa chaise, sans répondre.

— Tu as tué Açelya Bozkir.

— Non.

— Tu as séquestré Jessica Graincourt et tu as tenté de l'assassiner.

— Non.

— Connais-tu un nommé Vlaminck ?

— Non.

— Et Peyrefort ?

– Non plus.

Fergeac s'adressa à Lamblard.

– Maître, je ferais obstacle aux droits de la défense si je poursuivais la déposition. Votre client va être présenté au juge.

49

L'équipe d'intervention opérait toujours ses constatations au hameau du Gâteau. Fergeac avait rendu compte des nouveaux éléments d'enquête au commissaire Louvel ainsi qu'au juge d'instruction Bonnevey. La présentation au magistrat des frères Bois-trancourt s'imposait logiquement.

Quentin avait obtenu de différer l'instant jusqu'à la dernière seconde de garde à vue, soit jusqu'à seize heures. En contrepartie, le juge Bonnevey exigeait qu'un rapport lui parvienne une heure plus tôt, pour avoir le temps de s'imprégner de tous les détails avant de recevoir les deux gardés à vue.

La course contre la montre était donc engagée. La lutte contre l'endormissement également. Quatre heures de sommeil sur les dernières trente-six heures. Inhabituel mais pas impossible. Féraud, Solau, Rieu-lay, Fred et Émilie étaient soumis au même rythme, à la même tension. L'adrénaline compensait et rattrapait tout. Personne ne rechignait. Quentin décida de reprendre une dernière audition du Boistrancourt de l'Hôtel du Palais.

Au cours d'un bref entretien informel dans la cellule de garde à vue, il l'informa des avancées de l'enquête : les preuves matérielles de la séquestration de Jessica, l'ADN isolé à partir des vomissures près du cimetière de Rosny, les déclarations de la jeune Graincourt, toujours en vie, la blessure au cou...

Jehan de Boistrancourt exigea alors la présence de maître Lasalle, l'avocat de la famille.

L'auxiliaire de justice se présenta dans des délais raisonnables. Fergeac plaça les chaises dans son bureau suivant l'ordre qu'il avait lui-même établi. Celle du suspect près du meuble, celle de l'avocat toujours en retrait. Une façon d'affirmer que maître Lasalle devait se contenter d'assister Boistrancourt uniquement par une présence discrète et tacite, et non de le défendre bec et ongles comme il devait aimer s'y exercer dans ses plaidoiries. L'avocat ne pourrait intervenir qu'au terme de l'audition.

Fergeac invita maître Lasalle à prendre place dans son bureau, puis il envoya chercher le gardé à vue. L'avocat se leva à l'entrée de Boistrancourt et lui tendit la main.

– Bonjour, Jehan. Je suis venu vous assister à votre demande. Mais je ne pourrai pas m'entretenir avec vous avant la fin de l'audition. Vous comprendrez ainsi les raisons de mon silence.

Fergeac s'interposa.

– Maître, je vous ai entendu appeler votre client Jehan. Êtes-vous bien certain qu'il s'agit de lui et non de son jumeau ?

– C'est vrai qu'ils se ressemblent beaucoup. Mais j'ai l'habitude avec Jehan. Avec lui, je ne me suis jamais posé cette question. Y a-t-il un problème ?

– Peut-être pas. En tout cas, s'il en existe un, nous allons le résoudre. Monsieur de Boistrancourt, parlez-moi de vos activités professionnelles !

L'intéressé parut surpris.

– Appartiendriez-vous à une brigade financière ?

– Non. Reposons la question de façon plus directe. D'où proviennent vos revenus ?

– Soit ! Pour l'essentiel, des rentes issues de fermages, de coupes de bois. À cela s'ajoutent les revenus de gérances.

– De quel ordre ?

– De restaurants, principalement.

– Quels genres d'établissements ?

– De la restauration rapide. Je couvre plusieurs McDonald's.

– Peut-on savoir où ?

– Uniquement sur Montreuil, Rosny et Bobigny.

– Et dans le XVIe ?

– Exact ! Je l'oubliais. Rue Saint-Didier où demeure mon frère Jean.

– Quelle est la profession de votre jumeau ?

Une certaine gêne s'empara de Boistran-court.

– Disons que je l'aide financièrement.

– Voyez-vous, monsieur de Boistran-court, votre petit plan a failli réussir.

– Notre « plan », dites-vous ?

– Je parle de celui qui a tenté de brouiller les pistes pour venir en aide à votre frère. Votre erreur a consisté, dès la sortie de l'aéroport, à vous faire déposer en taxi directement à son domicile. Sans doute aviez-vous appris la mise en fourrière de son Audi ? Les réponses des opérateurs à nos réquisitions téléphoniques font état d'appels parisiens à l'hôtel où vous étiez descendu à Biarritz. Vous avez joué sur le fait que nous pourrions ignorer votre gémellité. J'avoue que vous avez failli réussir. L'alibi de Jean était parfait : il séjournait au moment des faits à Biarritz. Quant à la trace ADN relevée près du corps de la petite Bozkir, pourquoi pas une erreur de laboratoire ? Une éventualité seulement sur soixante-quatre milliards de possibilités. Mais pourquoi pas, après tout ! C'est sans doute ce qu'aurait plaidé votre avocat.

Maître Lasalle se redressa sur sa chaise et s'apprêtait à répondre quand Fergeac l'arrêta d'un signe de tête et d'une mimique entendue.

– Monsieur de Boistrancourt, avez-vous assassiné Açelya Bozkir, une jeune fille de seize ans ?

– Non. Je n'ai jamais rencontré cette personne.

– Votre frère vous a-t-il dit qu'il avait tué cette adolescente ?

Boistrancourt redressa le menton et respira profondément.

– Vous lui poserez la question.

– Pourquoi a-t-il agi ainsi ?

L'homme afficha un sourire narquois.

– Vous êtes habile, commandant Fergeac. Il me semble vous avoir déjà répondu. Ce n'est pas à moi qu'il vous faut poser la question, mais à lui. Pourquoi aurait-il agi ainsi ?

Quentin lui rendit son sourire. Sa fossette aussi.

– Pourquoi ces filles ?

– Nous sommes issus d'une grande tradition chrétienne, dans la famille. Parfois, certains comportements...

– N'en dites pas plus ! intervint l'avocat. J'assurerai votre défense. Désormais plus un mot.

– J'allais conclure, maître Lasalle. Vous ne faites qu'entériner ma décision, mais il sera bien difficile à Jehan de Boistrancourt, votre client, d'échapper à une complicité de meurtre, d'enlèvement, de séquestration et de tentative d'assassinat. Je vous l'ai dit. Cela n'a tenu qu'à un fil. Fallait pas revenir directement rue Saint-Didier.

50

Ellen Fergeac contemplait son mari étendu en travers du lit, les bras écartés, la couette repoussée en boule à ses pieds. Quentin s'était écroulé la veille sans avoir encore repris conscience. Abruti de fatigue.

Une nouvelle affaire menée à son terme. Un sentiment de satisfaction légitime s'empara d'Ellen. Une fierté par procuration.

Sa main sinua dans l'espace, suivant les traits du visage de Quentin. Dieu, comme Yann ressemblait à son père ! Le front haut, les pommettes marquées, les oreilles légèrement décollées, un menton énergique et une petite fossette sur la joue, autant de détails qu'elle se plaisait alors à retrouver chez son fils.

D'elle, qu'avait hérité Yann ? Sa sensibilité, peut-être. Une faiblesse assurément au regard de la force tranquille de son père. Un contraste. Un leurre. Une ambiguïté.

Yann ! Quatre ans déjà. Une absence encore trop présente. Un passé qui ne passe pas. Une plaie toujours ouverte...

Quentin gonfla ses poumons en respirant par saccades, puis soupira fortement, affichant une moue de déplaisir.

« À quoi peut-il bien penser encore en dormant ? » murmura Ellen en glissant doucement ses doigts dans les cheveux imprégnés de sueur.

Attentive, elle consulta sa montre. Déjà dix heures ! Il était temps de réveiller son mari. Ellen caressa cette fois sans retenue les mèches châtain clair, comme elle aimait tant le faire à son petit Yann.

51

Quentin sonna plusieurs fois et attendit. Des pas glissés, feutrés, suivis d'un éclat sombre à travers l'œilleton. Quelqu'un l'observait.

Une clé tourna dans la serrure, et la porte s'entrouvrit sur madame Bozkir en train de réajuster son voile.

– Bonjour, madame. Je suis le commandant de police Fergeac et voici ma collègue Émilie Férain.

– Je vous avais reconnus.

– Nous n'allons pas vous déranger très longtemps. Pouvons-nous entrer ?

– Mon mari est au travail.

– Ce ne sera pas long.

Madame Bozkir sembla hésiter, puis s'effaça pour les laisser passer. Plusieurs petits tapis de laine rectangulaires moquettaient le couloir apportant des touches de rouge entrecroisé de jaune clair et de bleu. Émilie arrêta du bras la progression de Quentin.

– C'est peut-être un tapis de prière, murmura-t-elle à son oreille. On devrait se déchausser.

– Cela n'a aucune importance à côté de la nouvelle qu'on vient lui annoncer.

Madame Bozkir les fit entrer dans la salle de séjour. D'un geste de la main, elle leur indiqua des banquettes basses qui couraient le long des murs de la pièce.

– Vous voulez vous asseoir ?

Fergeac et Émilie déclinèrent poliment l'invitation.

– Nous sommes venus vous apprendre que nous venons d'arrêter l'homme qui a tué votre fille.

Madame Bozkir se cacha le visage et détourna la tête. Elle éclata en sanglots. Des contractions nerveuses secouaient ses épaules. Elle partit se réfugier dans une autre pièce.

Émilie s'avança pour la suivre.

– Laisse-la seule ! dit Quentin.

Un lourd silence s'installa.

Impassible, pour donner sans doute le change, Quentin regarda longuement le tapis au sol, ses motifs d'inspiration géométrique, son médaillon central. Il s'imprégna de ses couleurs de garance, de bleu, de jaune safran et de vert cuivré. Les mains dans les poches de son jean, il éprouva du pied le velouté de la laine et suivit les lignes de bordure éclairées par les rayons du soleil que filtrait un voilage léger, et dont l'éclat se reflétait sur le mur. Des gravures d'Istanbul, des photos du Bosphore décoraient la tapisserie unie. Des textes religieux également. Des versets tirés de sourates. Curieux, Quentin en lut la traduction française sous-titrant l'écriture arabe qui invitait à un comportement meilleur sur terre.

Un bruit feutré de pas. Madame Bozkir réapparut, les yeux brillants.

– Qui a tué ma fille ?

– Il s'appelle Boistrancourt.

– Quel âge a-t-il ?

– Une soixantaine d'années.

– Et où est-il ?

– En prison. Le juge va l'interroger dans les prochains jours pour qu'il s'explique.

Madame Bozkir interrogea Quentin.

– Pourquoi a-t-il fait ça ?

– On ne sait pas encore.

– C'est l'Africain que vous aviez arrêté avec sa sœur ?

– Non ! Eux n'ont rien à voir dans la mort d'Açelya. À ce propos, pourquoi vous étiez-vous braquée dans mon bureau lorsque j'avais évoqué du harcèlement ou du racket à l'école ?

– J'étais en pleine confusion. Je ne savais plus quoi penser. J'avais même cru un instant que mon mari avait découvert toute l'histoire, et qu'il s'en était pris à Açelya.

Madame Bozkir sécha ses larmes.

– Tout ce qui est arrivé est de la faute de Jessica. Elle est vivante, elle, et Açelya est morte.

Quentin et Émilie échangèrent un rapide regard. Pouvait-on en vouloir à madame Bozkir ?

– Comment avez-vous retrouvé l'assassin ?

– C'est une longue histoire, répondit Fergeac. Vous en connaîtrez tous les détails plus tard, par votre avocat.

Des soubresauts agitèrent à nouveau la poitrine de madame Bozkir.

– Est-ce qu'Açelya a souffert ?

– Votre fille a été tuée par surprise. Sur le coup. Sans avoir pu réagir. Dites-vous qu'elle n'aura pas eu non plus le temps d'avoir peur.

– Peut-on faire quelque chose pour vous, madame Bozkir ? demanda Émilie.

Un regard dur, froid et cinglant, transperça Férain.

– Ne dites jamais à mon mari quand l'assassin sortira de prison.

52

Quentin pénétra le premier dans le restaurant « La Tour de Montlhéry ». Pompon et Paluches encadraient Émilie. Solau et Fred fermaient la marche. La fatigue marquait encore certains visages. Des cernes qu'Émilie avait su masquer par un habile maquillage, pour une fois !

– Dites donc, vous allez faire fuir mes clients avec vos têtes d'enterrement !

Denise, les mains sur le percolateur, détaillait la troupe disparate qui venait d'entrer. Quentin, l'élégance chevillée au corps, pantalon et veste de lin, détonnait parmi les tee-shirts, les jeans blanchis, les cheveux en bataille et les barbes fournies. Même Émilie se fondait dans le décor, baskets aux pieds, bermuda et débardeur largement décolleté.

La patronne contourna son comptoir pour venir leur faire la bise.

– Au moins, vous sentez bon !

– Tu nous as réservé une table ? demanda Quentin.

– Il était temps que vous arriviez.

Une grande partie de la salle était occupée par des Asiatiques. Dans leur guide, *Denise* devait « valoir le détour de Montlhéry » !

Quentin se cala dans son coin, avec Émilie et Lennon à ses côtés. Rieulay et Solau, le dos au passage central, faisaient face à Féraud qui avait préféré la banquette.

Lucien, le serveur, s'était déjà précipité pour la commande. Ça urgeait en cuisine ! Il prenait pourtant toujours le temps de distiller ses blagues parfois douteuses dont il avait le secret.

– J'en ai une courte, les gars !

– C'est ton problème, répondit Émilie.

Pompon et Lennon pouffèrent de rire.

– Kir pour tout le monde, réclama Quentin, et fissa ! On a le gosier sec.

L'équipe savourait ce genre de moments où l'esprit se relâche, où les nerfs se détendent, où la vie peut reprendre ses droits.

– Magnez-vous le train, la flicaille, pour la commande ! répondit Lucien en adressant un clin d'œil complice à la tablée. Que tout soit réglé quand je repasserai.

Quentin éprouva la moleskine de la banquette d'une main rassurée tandis que l'autre fourrageait dans sa tignasse. Il ne put maîtriser un bâillement sonore.

– Je suis crevé.

– On l'est tous, confirma Émilie en consultant la carte. Je vais choisir une raie aux câpres et tu te ramasseras l'addition. Je te rappelle ta promesse.

Quentin fit l'étonné.

– Je t'ai promis quelque chose ?

– Tu veux que je te réponde en langage des signes ? Tiens ! Regarde mon doigt. Alors, mon tuyau sur l'Audi ?

– C'est vrai que tout est parti de là, poursuivit Paluches venu se mêler à la conversation.

– Je ne comprends toujours pas pourquoi Boistrancourt n'est pas allé récupérer sa tire à la fourrière, s'étonna Michel dont l'habituelle barbe de trois jours s'était singulièrement épaissie ces derniers temps, au point de concurrencer celle de Paluches.

– Tu déconnes ou quoi ? répliqua Quentin. Tu es sûr d'avoir bossé avec nous ?

– Ben, c'est l'ADN dans le coffre qui nous a conduits à Bozkir.

– Sauf que ça nous donnait un ADN, pas un nom, rectifia Lennon que la discussion intéressait.

Émilie s'interposa.

– Si Quentin ne s'était pas penché sur les véhicules verbalisés…

– Fayotte ! commentèrent à l'unisson Lennon et Paluches.

Quentin remercia d'un sourire.

– Suis le raisonnement de Boistrancourt, poursuivit-il en croisant le regard de Michel en bout de table. Il récupère sa voiture. Il se trouve donc à Paris pendant la période qui nous intéresse. C'est ce qu'on va déduire, pense-t-il. Il lui faut un alibi. Lequel ? Il se trouve à Biarritz. Enfin, son jumeau. Je ne vais quand même pas te faire un dessin. C'était bien calculé. Il n'aurait eu qu'à prétendre que son véhicule avait été dérobé et utilisé par le tueur, et les soupçons se seraient reportés sur un autre. Je te l'ai dit : la seule erreur, c'est le frangin qui l'a commise en se présentant directement rue Saint-Didier, au retour de l'aéroport.

– Tu veux parler cette fois de Jehan ?

– Je vois qu'il te manque encore une bonne dose de sommeil. Choisis ton plat. Lucien se radine déjà avec ses Kirs.

– Bon alors, je vous la raconte, les gars ?

– Tu nous fatigues avec tes histoires, pesta Émilie.

– C'est un mec bourré qui a avalé son œil de verre. Il va chez le proctologue en prétendant avoir mal au ventre. Le toubib le met en position et il aperçoit un œil qui le fixe. Ne soyez donc pas aussi suspicieux, qu'il rétorque à son patient. Je ne vais pas vous faire mal.

L'éclat de rire général attira les regards surpris, complaisants et un peu forcés des tables voisines.

– Étonne-toi après ça qu'on ait encore faim, dit Émilie en essayant de garder son sérieux.

– Bon, je vous écoute les gars.

– Raie aux câpres pour moi.

– Tête de veau en ravigote, annonça Lennon.

– Pied de porc pour suivre, ajouta Pompon.

– Rognons en sauce, poursuivit Paluches en se retournant.

– Et onglet de bœuf, pour le petit Michel.

– Je parie que tu veux ta côte de bœuf du Limousin, demanda Lucien à Fergeac qui le regardait tout sourire.

– Tu connais mes goûts !

– Et toi, tu ne peux pas prendre une viande comme tes potes, râla Lucien en lorgnant sur le décolleté d'Émilie. Ma parole, vous vous êtes donné le mot, ce soir.

Une vingtaine de minutes et quelques verres de Brouilly plus tard, chacun s'absorba dans le plat qu'il avait commandé. Seules les conversations des tables voisines vinrent troubler leur recueillement. Puis la discussion reprit. À nouveau sur l'affaire.

Pompon reposa son couteau maculé de sauce sur la nappe en papier, tachant de gras le visage de Jack, « Moustache », l'ancien patron, dessiné par Moretti

– Désolé, pour ta peinture, le Niçois.

– Vlaminck et Peyrefort vivent leurs derniers instants de détention, dit Paluches.

– C'est de manger des rognons qui te fait penser à eux ?

Paluches ponctua la remarque de Michel d'un profond *Connard !* en s'esclaffant.

– Il sera toujours temps de les poursuivre pour leurs activités de fossoyeurs.

– Ça fera de la place pour les frères Bois-trancourt.

– Il paraît qu'on les a mis à l'isolement pour leur sécurité, dit Quentin.

– Ça t'étonne ? répondit Émilie en se tournant vers lui.

C'est vrai. Les nouvelles de l'extérieur circulent vite entre les murs des maisons d'arrêt ! Les taulards ne transigent pas avec la morale.

Leur « morale » ?

On ne touche pas aux gosses ! Jamais !

Quentin attendait une nouvelle commission rogatoire du juge Bonnevey qui n'avait procédé qu'à l'interrogatoire de première comparution. Un passage obligé, mais qui ne touchait pas véritablement au fond de l'enquête. De nombreuses investigations en suspens attendaient encore les enquêteurs. Un véritable travail à mener en profondeur !

– Quand je pense à tout ce qui reste à faire ! soupira Émilie en respirant goulûment la chaude odeur du beurre fondu qui mordorait les restes de son aileron de raie.

Levant la tête, Quentin rebondit sur la remarque et inventoria mentalement la multitude d'actes à venir... Ne serait-ce que l'analyse du contenu des cartons de documents saisis lors des perquisitions, l'exploitation des nombreux scellés. Plus d'une centaine ! Du travail pour Buteaux, pour Fontaine, pour Maligny. Les plans du manoir, de la cave où avait été enfermée Jessica, les relevés d'empreintes dans tous les endroits où elle était passée... les prélèvements... les comparaisons avec les échantillons de terre trouvés dans les rainures des pneus du Suzuki... les réquisitions aux Télécoms pour l'analyse des portables de Jessica et d'Açelya... les transports à Biarritz pour y acter sur procès-verbal la présence de Jehan de Boistrancourt... Bref ! Ce que Quentin appelait communément la queue de la comète. L'arrestation des suspects n'est bien souvent que la partie émergée de l'iceberg. Bien sûr, chacun se réjouissait de l'arrestation, mais...

– Allez ! On trinque, les gars. À la réussite !

– À la réussite !

Le dénouement de l'enquête laissait Quentin un peu sur sa faim. L'audition réalisée dans le cadre de la commission rogatoire ne lui avait pas permis de triturer Boistrancourt à sa guise, comme il en avait l'habitude. Faire face au suspect, le maîtriser, le laminer, lui ôter toute force psychique, le broyer...

Maintenant, il lui faudrait provoquer le « travail » qui permet d'accoucher d'une vérité, avant d'accéder à toute la vérité, sans zone d'ombre. Toutes les questions devraient pouvoir enfin trouver une réponse. Et tant pis s'il devait passer la main !

Au juge d'instruction Bonnevey de jouer pour cette fois, à lui le coup de la moquette pour recueillir les aveux de Jean de Boistrancourt.

– À Bonnevey !

– À Bonnevey ! répondirent en cœur Lennon, Paluches, Michel, Pompon et Émilie en cognant leurs verres contre celui de Quentin.

Le juge devrait répondre à l'ensemble des questions pour comprendre le traumatisme subi par Jean de Boistrancourt dans sa jeunesse. À commencer par les viols successifs perpétrés sur le jeune aristocrate par le jardinier du domaine. S'en était suivi chez l'enfant un repli pathologique sur soi passant pour de l'autisme. De sa part, un dégoût grandissant pour tout acte contre nature, exaspéré par une éducation religieuse stricte. Enfin, une existence passée à exécrer l'évolution des mœurs, à abhorrer toute transgression. Une vie de régression.

Ces homos que Boistrancourt voit s'enfiler sur les tombes de ses aïeux, ces filles qui se tripotent et qui se bécotent dans le McDo de son frère où il se croyait pourtant comme chez lui. Toutes ces dépravations « perverses », « immorales », « vicieuses », l'écœurent. Cette société qui se veut libertaire le ramène à son passé d'enfant violenté, culpabilisé et coupable.

Coupable d'avoir parlé.

Ces gamines continuaient devant lui à s'enlacer sur le parking, à s'embrasser à pleine bouche, sans imaginer le trouble et le mal qu'elles lui causaient.

Un coup bien ajusté sur l'arrière du crâne aura suffi à interrompre et venger ces crimes qui ont causé son malheur. Un foulard serré pour faire taire celle qui commence à hurler, et c'est le désastre, alors qu'il voulait se racheter, prisonnier de ses

malheurs au point de ne plus pouvoir se
sauver.

Et un frère que l'on appelle à l'aide.

Un frère toujours présent.

53

Lucien s'approcha de la table pour desservir. « Chez Denise », rien ne subsistait dans les assiettes, toujours frappées du sigle de « La Tour de Montlhéry ».

– Vous alors, on peut dire que vous faites honneur à la cuisine. Vous avez choisi les desserts ?

Paluches se retourna en se frappant plusieurs fois sur le ventre.

– T'as l'impression qu'il reste encore de la place ?

Quentin se tortilla dans son coin.

– Rapporte-nous une bouteille de marc d'Auvergne ! Précise à ma chère Denise que c'est moi qui le réclame ! Aujourd'hui, on fête une réussite.

– Quentin ! À quoi tu penses ? lui demanda Émilie en lui bourrant les côtes d'un coup de coude.

Les yeux brillants, il remplit une nouvelle fois son verre Napoléon, puis l'inclina sur la table. L'eau-de-vie vint flirter à l'horizontale avec le bord du verre sans en déborder. La bonne dose !

– On vit actuellement un grand chamboulement et je crois que la police a du mal à s'y faire. Regarde un peu au « 36 » ! On se veut une police moderne et on s'agrippe à un passé, à des murs vieillots, à des bureaux exigus, à étouffer l'été sous les combles, à se les peler l'hiver. On se réfère à un mythe. Or celui-ci devrait moins tenir à une adresse qu'à des hommes !

– Ah ! Parce que nous les femmes… ?

Quentin haussa les épaules et sourit.

– Ce ne sont pas les locaux qui ont fait notre force, notre renommée, c'est notre capacité à nous serrer les coudes, à faire face à l'adversité. À rebondir. À gagner. Simenon ne s'était pas trompé en privilégiant chez le grand policier les valeurs humaines.

– Ben moi, j'aime bien le cadre.

– Tu vois, les jumeaux Boistrancourt seraient toujours en liberté si je n'avais pas eu dans mon groupe une Émilie opiniâtre…, un Fred, un Michel… oui, oui vous deux ! C'est de vous que je parle, dévoués, taillables et corvéables, sans jamais rechigner aux longues planques, aux recherches fastidieuses… Si je n'avais pas eu un Rieulay rigoureux, pointilleux dans le moindre détail, à chercher l'oubli, à débusquer le « h », l'erreur, le vice de forme dans toutes nos procédures. N'est-ce pas, Paluches ? Si je n'avais pas su pouvoir compter sur un Pompon qui me seconde, qui me rassure. Hein, Pompon ! S'il n'y avait pas surtout un Louvel pour couvrir toutes nos conneries...

On approuvait d'un mouvement de tête, autour de la table. Sans le marc d'Auvergne, ils n'auraient peut-être pas osé se le dire, ou bien ils se seraient dit qu'ils exagéraient un peu et qu'il ne faudrait surtout pas le répéter ; à l'extérieur on ne croyait pas toujours ce que les policiers se disaient entre eux...

– Tu vois, Émilie, le « 36 », ce n'est pas simplement des murs, c'est une amitié, et cette amitié c'est à nous de l'entretenir dans les futurs locaux. On y verra passer d'autres Landru, d'autres Petiot, d'autres Mesrine. Des Ménigon, des Guy Georges plus qu'on n'en voudrait... !

– Ça, c'est à craindre, soupira Pompon.

– Quartier des Batignolles... Ça en jette, non ? On a connu le Quai des Orfèvres. On fera parler de la rue du Bastion.

Des claquements secs, saccadés, des mains qui s'entrechoquent en cadence : Émilie, Lennon, Paluches, Michel et Pompon s'étaient levés d'un seul élan.

– Allez ! On trinque, dit Quentin. À la
rue du Bastion.

– À la rue du Bastion !

– À l'avenir !

– À l'amitié !

La salle du restaurant s'était vidée. Seuls,
quelques noctambules s'attardaient, atta-
blés encore à refaire le monde...

« La Tour de Montlhéry ». Un phalanstère
d'amitié. Un lieu et des murs là aussi, où
le groupe Fergeac se retrouvait après avoir
affronté la tempête. Des copains parmi les
journalistes qui essayaient de vous tirer les
vers du nez. Et tout continuait en chamail-
leries distrayantes. On en repartait requin-
qué pour de nouvelles aventures, de celles
qui attendent les flics dans leur chasse
aux malfrats et aux criminels. Ressourcé
pour un boulot qui n'en finirait décidément
jamais...

Émilie donna le signal du départ en se
levant difficilement. Elle lorgna sur la bouteille de marc à demi vide.

– C'n'était pas une bonne idée... !

Quentin quitta le restaurant le dernier.

– Comment tu rentres ? lui demanda
Pompon.

– Je vais marcher un peu.

Le deux-tons d'un véhicule de police retentit au loin. Les mains dans les poches, Quentin respira à pleins poumons et regarda le ciel...

FIN

Remerciements

Aux membres du jury pour avoir choisi mon roman,

À Jacques Mazel, ultime acteur de cette belle aventure, pour sa compréhension, sa générosité et sa disponibilité professionnelle lors de la touche finale,

Au policier souhaitant conserver l'anonymat, qui m'a initié à l'univers du « 36 »,

À Inez Van Noort, interprète en langue des signes français,

À Nicole Vaillant, mon éditrice, pour son aide et ses conseils précieux pour mes précédents romans,

À Dany enfin, mon épouse, mon équilibre, témoin attentionné de mes angoisses littéraires à qui je dois tant...

Du même auteur :

– Passé boomerang, *Éditions Nicole Vaillant,* 2012
– L'enfer des damnés, *Éditions Nicole Vaillant,*
2014
– La petite-fille du forçat, *Éditions Nicole Vaillant,* 2014

PRIX DU QUAI DES ORFÈVRES

Le Prix du Quai des Orfèvres, fondé en 1946 par Jacques Catineau, est destiné à couronner chaque année le meilleur manuscrit d'un roman policier inédit, œuvre présentée par un écrivain de langue française.

• Le montant du prix est de 777 euros, remis à l'auteur le jour de la proclamation du résultat par M. le Préfet de police. Le manuscrit retenu est publié, dans l'année, par les Éditions Fayard, le contrat d'auteur garantissant un tirage minimal de 50 000 exemplaires.

• Le jury du Prix du Quai des Orfèvres, placé sous la présidence effective du Directeur de la Police judiciaire, est composé de personnalités remplissant des fonctions ou ayant eu une activité leur permettant de porter un jugement qualifié sur les œuvres soumises à leur appréciation.

• Toute personne désirant participer au Prix du Quai des Orfèvres, peut en demander le règlement au :
Secrétariat général du Prix du Quai des Orfèvres
36, quai des Orfèvres
75001 Paris

E-mail : prixduquaidesorfevres@gmail.com

La date de réception des manuscrits est fixée au plus tard au 15 mars de chaque année.

Composition et mise en pages
Nord Compo à Villeneuve-d'Ascq

Impression réalisée par
CPI BRODARD ET TAUPIN
La Flèche
pour le compte des Éditions Fayard
en novembre 2015

PAPIER À BASE DE
FIBRES CERTIFIÉES

Fayard s'engage pour
l'environnement en réduisant
l'empreinte carbone de ses livres.
Celle de cet exemplaire est de :
0,400 kg éq. CO$_2$
Rendez-vous sur
www.fayard-durable.fr

Imprimé en France
N° d'impression : 3013530
89-5232-3/01